D1010671

Personnages de la littérature française

René Bellé

UNIVERSITY OF SOUTHERN CALIFORNIA

Andrée Fénelon Haas

WESTRIDGE SCHOOL

HOLT, RINEHART AND WINSTON
New York Toronto London

Library of Congress Catalog Card Number : 69–11744

Printed in the United States of America
SBN: 03–080340–3

0123456 22 987654321

ILLUSTRATION CREDITS

COVER Courtesy of the New York Public Library, Science and Technology Division. *3-33* Courtesy of the New York Public Library, Picture Collection. *42-3* Agence de Presse Bernand. *47* Courtesy of the New York Public Library, Prints Division. *56-68* Courtesy of the New York Public Library, Picture Collection. *71* Courtesy of the New York Public Library, Prints Division. *73* Courtesy of the New York Public Library, Science and Technology Division. *84-5* Courtesy of the New York Public Library, Picture Collection. *96* Clésinger: Flaubert, H. Roger-Viollet. *100* Courtesy of the New York Public Library, Prints Division. *115* Courtesy of the New York Public Library, Picture Collection. *118-132* Daumier: "Les Gens de Justice", Courtesy of the New York Public Library, Prints Division. *137* Courtesy of the New York Public Library, Picture Collection. *148* Louis Jouvet as "Doctor Knock", Cinemabilia. *153-166* Courtesy of the New York Public Library, Picture Collection. *171* Courtesy of the New York Public Library, Science and Technology Division. *182* Courtesy of the New York Public Library, Picture Collection.

PERMISSIONS AND ACKNOWLEDGMENTS

We wish to thank the authors, publishers, and holders of copyright for their permission to use the reading materials in this book.

Alphonse Daudet, excerpts from *Tartarin de Tarascon*, by permission of Editions Flammarion. (HH)

Anatole France, excerpts from *Crainquebille*, autorisé par Calmann-Lévy, Editeurs. (IC)

Jules Romains, excerpts from *Knock;* Albert Camus, excerpts from *la Peste;* Antoine de Saint-Exupéry, excerpts from *Terre des hommes;* © Editions Gallimard. (IGE)

Preface

Personnages de la littérature française is designed for students in the third or fourth year of high-school or in the third or fourth semester of college. It has been written with the intent of providing students with an introduction to some French literary masterpieces. Before taking a regular course in French literature, in which novels and plays would be studied and analyzed in detail, the readers of this textbook will become acquainted with some famous figures of French fiction.

These figures are living characters, created by great French writers, and as the years have gone by, they have become literary types. In France, they are familiar to everyone and their names are used in everyday conversation. Calling someone a *Gargantua* suggests he is a person with a voracious appetite and a *Tartarin* that he is a braggard.

This reader presents twelve biographical sketches of these well-known literary figures, each of whom embodies a virtue, a vice, or a foible; some are tragic, some are funny. All are meaningful and relevant to the problems and issues of our time.

One *Personnage* is presented in each chapter which consists of : the text, accompanied by all-French idiomatic explanations, or *Tournures équivalentes;* a *Questionnaire* and *Exercices* based on the *Tournures équivalentes.*

The French-English *Vocabulaire* at the end of the book includes the words which appear in the text as well as in the exercises.

René Bellé and Andrée Fénelon Haas

Table des matières

Personnages de la littérature française

depuis sept ans, fait la guerre / il y a sept ans qu'il fait la guerre / voilà sept ans qu'il se bat

tient conseil / délibère avec ses conseillers / étudie la situation avec les dignitaires

de belle humeur / dans un très bon état d'esprit / bien disposé

des milliers / plusieurs mille

la douce France / le beau pays de France

font des armes / font de l'escrime / s'exercent au maniement de l'épée

se tient / se trouve / a pris place

il a la barbe et les cheveux tout blancs / sa barbe et ses cheveux sont complètement blancs

il demande que je m'en retourne / il voudrait me voir partir

Roland

Éginhard, biographe de Charlemagne

I

Le grand Empereur Charlemagne qui, depuis sept ans, fait la guerre en Espagne contre les Sarrasins, tient conseil dans un grand verger. Il est joyeux et de belle humeur; autour de lui sont assis son neveu, le Comte Roland, avec son ami Olivier, ainsi que des 5 milliers de seigneurs qui viennent de la douce France. Les plus sages et les plus vieux jouent aux échecs, et les jeunes gentilshommes font des armes.

L'empereur se tient sous un pin, près d'un églantier, sur un siège en or massif; il a la barbe et les cheveux tout blancs; sa contenance 10 est noble et fière.

—Seigneurs barons, dit l'Empereur Charles, le Roi Marsile, chef des païens, m'a envoyé ses messagers. Il veut me donner une grande partie de ses richesses, des ours, des lions, des lévriers, six cents chameaux et quatre cents mulets. Mais il demande que je m'en 15 retourne dans ma capitale d'Aix-la-Chapelle où il me suivra et

recevra notre religion / acceptera notre croyance / adoptera notre foi
se fera chrétien / se convertira au christianisme / deviendra chrétien
je ne sais / je ne sais pas / j'ignore
le fond de son cœur / ce qu'il pense vraiment
a fini de parler / a terminé son discours
lui adresse ces paroles / lui parle en ces termes / lui dit ceci
Malheur à vous / Vous vous repentirez / Je prévois qu'il vous arrivera des calamités
Voilà sept ans que / Il y a sept ans que / Depuis sept ans
s'est conduit comme un traître / a agi déloyalement / nous a perfidement trompés
Vous vous êtes fié à eux / Vous avez eu confiance en eux / Vous avez cru en leur bonne foi
ont eu la folie d'être de votre avis / ont commis l'erreur de partager votre opinion
les a fait tuer / les a condamnés à mort / a ordonné qu'ils soient exécutés
mettez le siège devant / assiégez / investissez
tient la tête baissée / a la tête inclinée vers le sol
Il ne fait à son neveu aucune réponse / Il ne répond rien à son neveu
d'un air fier / avec fierté / avec hauteur

ne croyez ni moi ni nul autre / ne me croyez pas et ne croyez personne d'autre

de rejeter ses offres / de refuser sa proposition
ne se soucie guère de / ne s'inquiète pas beaucoup de / ne se préoccupe pas de savoir
Conseil d'orgueil / Avis inspiré par la présomption
se range à cet avis / approuve cette opinion

Je peux très bien y aller / Pourquoi pas moi?
s'écrie / s'exclame / prononce à haute voix
vous en viendrez aux prises / vous finirez par vous battre / vous en viendrez aux mains
j'en ai peur / je le crains
s'il y consent / s'il est d'accord / s'il me le permet
Taisez-vous / Ne parlez plus / Silence!
tous les deux / vous deux
Je défends / Je ne permets pas
aucun de / l'un quelconque de
un baron qui puisse / un noble qui soit capable de

aller trouver / aller voir

recevra notre religion; il se fera chrétien et deviendra mon vassal. Mais je ne sais quel est le fond de son cœur.

Quand l'empereur a fini de parler, le Comte Roland se lève et lui adresse ces paroles:

—Malheur à vous, si vous croyez Marsile. Voilà sept ans que nous sommes en Espagne. J'ai conquis pour vous des villes et des terres. Le Roi Marsile alors s'est conduit comme un traître. Il vous a envoyé quinze messagers païens; chacun portait un rameau d'olivier. Vous vous êtes fié à eux; vos Français ont eu la folie d'être de votre avis. Vous avez envoyé au païen deux de vos comtes, et l'infâme les a fait tuer. Continuez la guerre, mettez le siège devant Saragosse et vengez nos deux messagers.

L'empereur tient la tête baissée; il tire sa barbe et tord sa moustache. Il ne fait à son neveu aucune réponse. Les Français se taisent, excepté Ganelon, beau-père de Roland.

Ganelon se lève, vient devant Charles, et d'un air fier, commence à lui parler:

—Ne croyez pas les fous, dit-il, ne croyez ni moi ni nul autre; n'écoutez que votre intérêt. Quand le Roi Marsile vous annonce qu'il deviendra votre vassal, puis qu'il recevra la religion que nous suivons, celui qui vous conseille de rejeter ses offres ne se soucie guère de quelle mort nous mourrons. Conseil d'orgueil ne doit pas prévaloir. Cette grande guerre ne doit pas continuer.

L'Empereur Charles se range à cet avis.

—Seigneurs barons, dit-il en s'adressant à ses grands vassaux, qui enverrons-nous à Saragosse, au Roi Marsile?

—Je peux très bien y aller, répond Roland.

—Non, certes, s'écrie le Comte Olivier; votre cœur est farouche; vous en viendrez aux prises, j'en ai peur. Je peux très bien y aller si l'empereur y consent.

—Taisez-vous, tous les deux, leur répond Charlemagne. Je défends qu'on choisisse aucun de mes douze pairs. Choisissez-moi un baron qui puisse porter un message à Marsile.

—Pourquoi n'envoyez-vous pas mon beau-père Ganelon? demande Roland. Vous ne pourriez choisir un homme plus avisé.

Charlemagne, voyant que les barons approuvent ce choix, désigne Ganelon et lui ordonne d'aller trouver Marsile.

Puisqu'il le faut / Puisque c'est nécessaire
accomplir votre commandement / exécuter vos ordres / vous obéir
se tournant vers / s'adressant à
Quant à toi / En ce qui te concerne
si Dieu me donne de revenir / si le Seigneur me permet de revenir / si je ne suis ni tué ni fait prisonnier
je te le ferai payer cher / je me vengerai de toi

d'engager ses forces / de livrer bataille
lui indique comment / lui explique la manière de

De retour au / Lorsqu'il est revenu au
rend compte de / relate / fait un rapport sur
désignez-moi qui tiendra / nommez-moi celui qui sera chargé de

Cette fois-ci / À son tour
tout en feignant de lui faire honneur / en faisant semblant de l'honorer
celui-ci / son neveu / ce dernier
est en jeu / en dépend
ne craignez personne / qu'aucun ennemi ne vous fasse peur

il fait battre les tambours / il ordonne de battre le tambour
tous se mettent en marche / toute l'armée prend le départ / l'armée entière se met en route

—Puisqu'il le faut, sire, je veux accomplir votre commandement.
Puis se tournant vers Roland, il ajoute:
—Quant à toi, si Dieu me donne de revenir de là-bas, je te le ferai payer cher.

II

5 Ganelon arrive à la cour du Roi Marsile et, pour se venger de Roland, il trahit l'Empereur Charles et les Français. Il dissuade Marsile d'engager ses forces contre Charlemagne; il concentre la colère du roi païen contre Roland et lui indique comment attaquer Roland par surprise, car celui-ci sera à l'arrière-garde.

10 De retour au camp de Charlemagne, Ganelon lui rend compte de sa mission.

—Seigneurs barons, demande l'empereur, désignez-moi qui tiendra l'arrière-garde de mon armée.

Cette fois-ci, c'est Ganelon qui désigne Roland, tout en feignant 15 de lui faire honneur. Les barons ne sont pas dupes de cette ruse et Charlemagne voudrait sauver son neveu, mais celui-ci exige de braver le danger, car son honneur est en jeu:

—Sire, dit-il à l'empereur, ne craignez personne, tant que je vivrai.

20 Et pendant que l'empereur et son armée retournent vers la France, Roland reste, avec ses pairs, avec Olivier, son compagnon, avec l'Archevêque Turpin, dans les hautes montagnes et les sombres vallées d'Espagne. À Saragosse, le Roi Marsile a rassemblé ses barons, comtes, ducs et émirs; il fait battre les tambours, et tous se 25 mettent en marche vers les Pyrénées.

III

Le jour est clair et le soleil radieux, le bruit est grand et les Français l'entendent.

Olivier dit:

—Seigneurs compagnons, je crois que nous pourrions bien avoir 30 bataille avec les Sarrasins.

Roland répond:

que Dieu nous l'octroie! / que le Seigneur nous accorde cette grâce!
Nous devons tenir / Notre mission est de résister
ils ont tort / leur cause est mauvaise
Jamais mauvais exemple ne viendra de moi / Je ne donnerai jamais le mauvais exemple par ma conduite
en masse imposante / en nombre considérable
Il y en a tant / Ils sont si nombreux

le plus vite qu'il peut / aussi rapidement que possible

Tenez ferme / Résistez / Ne reculez pas

Honni soit qui fuira / Celui qui fuira sera déshonoré

sonnez de votre olifant / faites retentir votre cor / soufflez dans votre cor d'ivoire

Malheur aux païens! / J'espère qu'il arrivera des calamités aux infidèles. / Souhaitons que les mécréants courent à la catastrophe.
Je vous le jure / Je vous en fais le serment / Je vous en donne ma parole d'honneur
d'avoir sonné du cor / parce que vous aurez fait retentir votre olifant

notre troupe, à nous / la troupe que nous avons ici / la petite armée de Français

Ne plaise au Seigneur Dieu ni à ses anges / J'espère que ni Dieu ni ses anges ne permettront
perde son honneur / soit déshonorée / se couvre de honte
J'aime mieux mourir que de tomber dans la honte / Il vaudrait mieux que je perde la vie, plutôt que de perdre l'honneur
D'autre part / Par ailleurs / De son côté

Demandez à Dieu miséricorde / Priez Dieu qu'il vous pardonne vos péchés
pour sauver vos âmes / pour que vous n'alliez pas en enfer
s'agenouillent à terre / se mettent à genoux par terre
se relèvent / se remettent debout
aller au-devant des / aller à la rencontre des

—Ah! que Dieu nous l'octroie! Nous devons tenir ici pour notre roi. Les païens ont tort; la cause des chrétiens est juste. Jamais mauvais exemple ne viendra de moi.

Olivier monte sur une haute montagne. Il aperçoit le royaume 5 d'Espagne et les Sarrasins assemblés en masse imposante. Il y en a tant qu'on ne peut compter les bataillons. Olivier est bouleversé; le plus vite qu'il peut, il descend de la montagne; il vient vers les Français et leur raconte tout. Il leur dit:

—Seigneurs Français, que Dieu nous donne Sa force. Tenez 10 ferme dans le combat, pour que nous ne soyons pas vaincus.

Les Français répondent:

—Honni soit qui fuira! Nous combattrons jusqu'à la mort!

Puis, se tournant vers Roland, Olivier l'exhorte:

—Ami Roland, sonnez de votre olifant. Charles l'entendra et 15 l'armée reviendra. Le roi et ses barons viendront nous secourir.

—Non, lui répond Roland, ce serait folie. En douce France je perdrais mon renom. Je frapperai de grands coups avec mon épée. Malheur aux païens! Je vous le jure, tous sont marqués par la mort.

20 Olivier insiste:

—Ami Roland, personne ne vous blâmera d'avoir sonné du cor. L'armée païenne est immense, elle couvre les vallées et les monts, les landes et les plaines, et notre troupe, à nous, est bien petite.

Mais Roland lui répond:

25 —Ne plaise au Seigneur Dieu ni à ses anges que la France à cause de moi perde son honneur! J'aime mieux mourir que de tomber dans la honte.

D'autre part, voici l'Archevêque Turpin. Il éperonne son cheval, monte sur un tertre et harangue les Français:

30 —Seigneurs barons, Charles nous a laissés ici. Pour notre roi, nous devons courageusement mourir. Demandez à Dieu miséricorde. Je vous absoudrai pour sauver vos âmes.

Les Français descendent de cheval et s'agenouillent à terre; l'archevêque les bénit. Puis ils se relèvent et remontent sur leurs 35 chevaux rapides, pour aller au-devant des Sarrasins. Roland passe à cheval; il a le visage clair et riant; il conduit les Français à la bataille.

après quinze coups / après avoir frappé quinze fois
hors d'usage / inutilisable / qui ne peut plus servir
fait un grand massacre de / extermine beaucoup de / tue un grand nombre de
fait fureur / bat son plein / est violente
s'élève une étrange tempête / une surprenante tourmente atmosphérique s'élève
la foudre y tombe / il y a des éclairs et du tonnerre
Nul ne voit cela qui ne soit rempli d'épouvante / Tous ceux qui voient cela sont remplis d'effroi / Tous ceux qui voient cela meurent d'épouvante
Les temps sont révolus / La fin du monde est arrivée
le grand deuil / l'immense tristesse
redouble de violence / fait rage / est déchaînée

ils ont l'avantage / ils l'emportent / ils triomphent
ils sont repoussés / ils sont refoulés / ils sont obligés de reculer
des siens / de ses propres soldats / de ses compagnons

Beau seigneur / Grand et noble guerrier

que n'êtes-vous ici! / quel dommage que vous ne soyez pas à nos côtés!
comment lui envoyer de nos nouvelles? / par quel moyen pourrions-nous lui faire part de notre détresse?
Qu'en pensez-vous? / Quel est votre avis à ce sujet?

manquer de courage / ne pas avoir de vaillance
vous n'avez pas daigné / vous n'avez pas consenti à
subi ce désastre / essuyé cette défaite

Pourquoi me gardez-vous rancune? / Pourquoi m'en voulez-vous?
si les Français sont morts, c'est votre faute / les Français ont péri à cause de vous / vous êtes responsable du décès des Français
n'a rien de commun avec / n'a aucun rapport avec / est complètement différente de
cette bataille, nous l'aurions livrée et gagnée / nous nous serions battus et nous aurions vaincu l'ennemi
Votre trop grande bravoure / Votre excès de courage

ne vous querellez point / cessez de vous disputer
Mieux vaut sonner du cor / Il serait préférable de souffler dans votre olifant
Il est trop tard / Il ne reste plus assez de temps

IV

La bataille est merveilleuse et acharnée. Roland frappe de sa lance; mais après quinze coups, elle est brisée, hors d'usage. Alors il tire sa bonne épée, Durandal, et il fait un grand massacre de Sarrasins.

Mais tandis qu'en Espagne la bataille fait fureur, en France s'élève une étrange tempête de tonnerre et de vent, de pluie et de grêle, la foudre y tombe et la terre y tremble. Nul ne voit cela qui ne soit rempli d'épouvante et plusieurs disent: «Les temps sont révolus. C'est la fin du monde qui arrive.» Ils ne savent ni ne disent la vérité: c'est le grand deuil pour la mort de Roland.

Dans le vallon de Roncevaux, la bataille redouble de violence. Il y a tant de païens que la terre en est couverte. Les Français frappent avec vigueur et rage; ils ont tout d'abord l'avantage, mais à la cinquième charge, ils sont repoussés avec de lourdes pertes.

Le Comte Roland voit le grand massacre des siens. Il appelle son compagnon Olivier:

—Beau seigneur, cher compagnon, voyez tous ces vaillants qui sont morts. Nous pouvons plaindre France la douce, la belle, qui va être privée de tels barons. Ah, Sire, Charlemagne, que n'êtes-vous ici! Olivier, mon frère, comment lui envoyer de nos nouvelles? Qu'en pensez-vous? Je vais sonner du cor et Charles l'entendra.

Mais, cette fois, c'est Olivier qui s'écrie:

—Ami Roland, ce serait une grande honte. Ce serait manquer de courage. Quand je vous l'ai conseillé, vous n'avez pas daigné le faire. Si le roi avait été avec nous, nous n'aurions pas subi ce désastre.

—Pourquoi me gardez-vous rancune? lui demande Roland.

—Compagnon, lui répond Olivier, si les Français sont morts, c'est votre faute, car la bravoure sensée n'a rien de commun avec la folie. Si vous m'aviez cru, l'empereur serait venu et, cette bataille, nous l'aurions livrée et gagnée. Votre trop grande bravoure, Roland, cause notre malheur.

L'Archevêque Turpin les entend se quereller:

—Roland et vous, Olivier, leur dit-il, ne vous querellez point. Mieux vaut sonner du cor. Il est trop tard pour que le roi nous sauve, mais il viendra et pourra nous venger. Les Chrétiens revien-

ils nous trouveront morts / nous serons déjà morts quand ils arriveront ici

de toutes ses forces / aussi fort qu'il le peut

Ne vous arrêtez pas / Ne cessez pas de marcher / Continuez votre route
toute la journée / pendant toute la durée du jour
sans doute / probablement / peut-être bien

livre bataille / se bat

courir au secours / se hâter d'aller à l'aide

fait saisir / fait arrêter / ordonne qu'on fasse prisonnier

Pas un qui ne pleure / Il n'y a personne qui ne soit pas en larmes / Ils pleurent tous

jusqu'à ce qu'ils arrivent en nombre / jusqu'au moment où ils arriveront en force

Mais à quoi bon? / À quoi cela sert-il? / Quelle est l'utilité de cela?
ne sert à rien / est inutile
à temps / au moment voulu / assez tôt

En noble chevalier / Comme un preux / Comme un homme de cœur

ceux de France / les Français / les soldats de l'arrière-garde

que Dieu ait pitié de vous! / je souhaite que Dieu vous soit miséricordieux. / que le Seigneur vous reçoive en son paradis!

s'adressant à ses pairs / se tournant vers ses guerriers / parlant à ses compagnons
reprenons la bataille / retournons au combat

donne de si rudes coups / frappe avec une telle violence
mis en déroute / mis en fuite / dispersés
à ses côtés / près de lui / autour de lui

sent bien / se rend compte
sa mort est proche / il va bientôt mourir
tombe à la renverse / tombe sur le dos
se remet sur ses pieds / se met debout encore une fois
rassemble tant qu'il peut ses forces / fait appel à toute son énergie
ne veut pas / ne peut pas permettre / refuse d'accepter
son épée puisse jamais tomber aux mains d'un lâche / un homme sans courage puisse s'emparer de Durandal
frappe les rochers dix fois de suite / donne dix coups, à la file, sur les rochers
ne peut / n'a pas la force de
se couche / s'étend
veut que / souhaite que

dront; ils nous trouveront morts et nous enterreront dans l'enclos des églises.

Alors Roland porte l'olifant à ses lèvres et sonne de toutes ses forces. Le sang jaillit de sa bouche. Les montagnes sont hautes et l'armée est déjà loin, mais Charles entend le son du cor.

—Ne vous arrêtez pas, lui conseille Ganelon, le traître. Pour un seul lièvre, Roland sonne toute la journée. Aujourd'hui, sans doute, il s'amuse avec ses pairs.

Roland continue à sonner. L'empereur est sûr qu'il livre bataille. Il ordonne à ses barons et à toute l'armée de courir au secours de Roland. Il fait saisir Ganelon. L'empereur et ses barons chevauchent, pleins de colère. Pas un qui ne pleure et ne se lamente. Ils prient Dieu de préserver Roland jusqu'à ce qu'ils arrivent en nombre sur le champ de bataille. Mais à quoi bon? Tout cela ne sert à rien. Il est trop tard, ils ne peuvent arriver à temps.

V

Roland regarde les monts et les landes. En noble chevalier, il pleure ceux de France qu'il voit étendus morts.

—Seigneurs barons, que Dieu ait pitié de vous! Qu'Il donne le paradis à toutes vos âmes.

Puis, s'adressant à ses pairs:

—Allons, reprenons la bataille.

Roland se bat avec une telle énergie, avec une telle ardeur, il donne de si rudes coups, que des milliers de païens sont mis en déroute; mais il voit mourir à ses côtés ses derniers compagnons, son ami Olivier et l'Archevêque Turpin.

Roland sent bien que sa mort est proche; il est grièvement blessé. Sur l'herbe verte, il tombe à la renverse une première fois. Mais bientôt il se remet sur ses pieds, il rassemble tant qu'il peut ses forces; il ne veut pas que son épée, sa fidèle Durandal, puisse jamais tomber aux mains d'un lâche. Dix fois de suite, plein de douleur et de colère, il frappe les rochers, mais il ne peut briser son épée ni même l'ébrécher.

Alors il va sous un pin et se couche sur l'herbe; il met sous lui son épée et son cor; il tourne la tête du côté des païens, parce qu'il veut que Charles et toute l'armée française disent «Le noble comte

en conquérant / noblement / en brave
se frappe la poitrine / se donne des coups sur la poitrine / fait acte de contrition
il tend vers Dieu son gant / il offre son gant à Dieu (geste typique du héros féodal; abandonner symboliquement sa personne à Dieu; présenter son gant était signe de soumission)
tous les péchés que j'ai commis / toutes les offenses dont j'ai été coupable
l'heure où je naquis / le moment de ma naissance

se termine / finit / s'achève / prend fin
plus ancienne / plus vieille / première en date

est mort en conquérant.» Il se frappe la poitrine et, pour ses péchés, il tend vers Dieu son gant:

—Mon Dieu, pardonnez-moi mes péchés, grands et petits, tous ceux que j'ai commis depuis l'heure où je naquis.

5 Les anges du ciel descendent vers lui et emportent son âme en paradis.

Roland est mort, avec la sérénité du brave et dans la paix du chrétien. Charlemagne reviendra, pour écraser les païens et punir le traître Ganelon. Et c'est par ce châtiment que se termine la 10 plus belle et la plus ancienne des chansons de geste françaises.

Questionnaire

1. Contre qui Charlemagne faisait-il la guerre en Espagne?
2. Qui est avec l'empereur dans le grand verger où il tient conseil?
3. Qu'est-ce que le Roi Marsile veut donner à Charlemagne?
4. Qu'est-ce que le roi païen promet de faire si l'Empereur Charles retourne en France?
5. Qu'est-ce que Roland avait conquis durant les sept ans de guerre en Espagne?
6. Qu'est-ce que Roland propose que l'empereur fasse pour venger les deux messagers?
7. Pourquoi Ganelon voulait-il qu'on accepte les conditions du Roi Marsile?
8. Quels seigneurs proposent d'aller porter à Marsile un message de l'empereur?
9. Qui Charlemagne désigne-t-il pour aller trouver Marsile?
10. Quelle menace Ganelon fait-il en se tournant vers Roland?
11. Pour quelle raison Ganelon trahit-il l'Empereur Charles et les Français?
12. Quelle sera la position occupée par Roland dans les forces armées des Français?

13. Pendant que l'empereur et une grande partie de son armée retournent vers la France, qui reste avec Roland en Espagne?
14. Qu'est-ce que le Roi Marsile a fait à Saragosse?
15. Qu'aperçoit Olivier du haut d'une montagne?
16. Quand Olivier descend vers les Français, que leur dit-il?
17. Quelle réponse Olivier reçoit-il?
18. Que demande Olivier à Roland en se tournant vers lui?
19. Pourquoi le Comte Roland ne veut-il pas sonner de son olifant?
20. En quels termes l'Archevêque Turpin harangue-t-il les Français?
21. Tandis qu'en Espagne la bataille fait fureur, qu'est-ce qui s'élève en France?
22. Comment s'appelle l'endroit où Roland livre sa dernière bataille?
23. En voyant le grand massacre des siens, que dit Roland à Olivier?
24. De quoi Olivier accuse-t-il Roland?
25. Quel conseil l'Archevêque Turpin donne-t-il à Roland et à Olivier?
26. Lorsque Roland souffle dans l'olifant, qu'arrive-t-il?
27. Lorsque Charles entend le son du cor, que lui conseille le traître Ganelon?
28. Qu'ordonne alors l'empereur?
29. Comment Roland se bat-il?
30. Tout près de la mort, tendant son gant vers Dieu, que dit le Comte Roland?
31. Par quel châtiment se termine la plus belle et la plus ancienne des chansons de geste françaises?

EXERCICES

Complétez la phrase **B**, *de manière à avoir une phrase partiellement différente de la phrase* **A**, *mais qui signifie la même chose. Servez-vous, pour cela, des exemples donnés dans les phrases* (a) *et* (b).

1. (a) Il fait la guerre *depuis sept ans.*
   (b) *Il y a sept ans* qu'il fait la guerre.
   A. Il y a longtemps que je vous attends.
   B. Je vous attends ———.

2. (a) *Je ne sais* quel est le fond de son cœur.
(b) *J'ignore* quel est le fond de son cœur.
A. J'ignore ce qui est arrivé.
B. ——— ce qui est arrivé.

3. (a) *Il a peur* d'être fait prisonnier par Marsile.
(b) *Il craint* d'être fait prisonnier par Marsile.
A. Nous craignons de lui déplaire.
B. ——— de lui déplaire.

4. (a) Olivier offre d'y aller si l'empereur *y consent.*
(b) Olivier offre d'y aller si l'empereur *est d'accord.*
A. Nous partirons demain matin si vous êtes d'accord.
B. Nous partirons demain matin si ———.

5. (a) *Je défends* qu'on choisisse un de mes douze pairs.
(b) *Je ne permets pas* qu'on choisisse un de mes douze pairs.
A. Le professeur ne permet pas qu'on fume en classe.
B. Le professeur ——— qu'on fume en classe.

6. (a) *Quant à toi,* tu commanderas l'arrière-garde de mon armée.
(b) *En ce qui te concerne,* tu commanderas l'arrière-garde de mon armée.
A. En ce qui concerne ton travail, j'en suis très satisfait.
B. ——— ton travail, j'en suis très satisfait.

7. (a) *Nul* ne voit cela.
(b) *Personne* ne voit cela.
A. Personne ne peut savoir ce qui se passera.
B. ——— ne peut savoir ce qui se passera.

8. (a) *C'est votre faute* si nos compagnons sont morts.
(b) Si nos compagnons sont morts, *vous en êtes responsable.*
A. S'il y a un accident, j'en serai responsable.
B. ———, s'il y a un accident.

9. (a) *À quoi bon appeler* au secours? Il n'arrivera pas à temps.
(b) *À quoi servirait-il* d'appeler au secours? Il n'arriverait pas à temps.
A. À quoi bon écrire? On ne répondra pas.
B. ——— d'écrire? On ne répondrait pas.

Les Français ont toujours eu le goût du rire / les Français ont toujours aimé la plaisanterie

Moyen Âge / entre 395 et 1453 / du IVe au XVe siècle / période historique située entre l'Antiquité et la Renaissance

est apparu / a fait son entrée en scène / a fait son apparition

a été activement mêlé / a pris une part active / a grandement participé

Grand voyageur / Il aimait voyager / Il faisait souvent des voyages

présentent un contraste étonnant / sont étonnamment variées / traitent des sujets d'une variété surprenante

Gargantua

Les Français ont toujours eu le goût du rire et des histoires comiques; dès le Moyen Âge, ils aimaient les farces qui peignaient les ridicules et les mauvaises mœurs du temps.

Mais c'est à l'époque de la Renaissance, dans les dernières années du quinzième siècle, qu'est apparu le premier grand génie comique de la France, François Rabelais. C'est un personnage caractéristique de la Renaissance, qui a été activement mêlé à la vie de son temps. Admiré de tous pour ses talents de médecin, pour son érudition et aussi pour ses qualités de caractère et sa bonne humeur, il s'est intéressé à presque toutes les sciences et techniques: sciences naturelles, politique, art militaire, théologie, navigation, médecine, hébreu, langues vivantes, littérature antique; on trouve tout cela dans ses romans.

Grand voyageur, il a beaucoup observé; il a séjourné à Paris, à Lyon, en Italie et, dans ses récits, ses souvenirs personnels reparaissent sous la forme de nombreuses allusions.

Ses œuvres présentent un contraste étonnant: il nous a laissé des

des ouvrages savants / des livres érudits
des questions de droit / des sujets relatifs aux lois et à la jurisprudence
D'autre part / De plus / En outre
en langue vulgaire / en français, par opposition à la langue latine, ou langue savante
Ce n'était pas un cas rare / Cela arrivait souvent / C'était assez fréquent
des recueils d'anecdotes / des historiettes groupées en un volume

l'intention qui l'a poussé / le motif qui l'a incité
Amis lecteurs, ne vous scandalisez pas / Chers lecteurs, ne soyez pas choqués

celui de vous faire rire / le dessein de vous amuser / l'intention de vous divertir
le deuil qui vous consomme / la tristesse qui vous ronge
Mieux est de ris que de larmes écrire / Il vaut mieux écrire sur des sujets gais que sur des sujets tristes
Pour ce que / Pour la bonne raison que
le propre de l'homme / une des caractéristiques de l'être humain / une qualité inhérente au genre humain
fait le portrait de / dépeint / fait la description de
tel que / comme / ainsi que

nous assure son disciple / ainsi que son disciple nous l'affirme
mal bâti / ayant un physique ingrat / au corps mal proportionné

humanité profonde / bienveillance et bonté
joie de vivre / amour de la vie

«la substantifique moelle» / ce qu'il y a d'essentiel / la substance même

le plus philosophe / le mieux avisé / celui qui agit avec le plus de réflexion
avec quel soin il le brise / combien il prend de précautions pour le briser

À l'exemple de / En imitant / En faisant comme
essayons / tâchons / efforçons-nous
la sagesse cachée de l'auteur / les idées morales que l'auteur exprime en symboles / les théories philosophiques sous-entendues par l'auteur

ouvrages savants, écrits en latin, sur des questions de médecine et de droit. D'autre part, il a écrit des livres en langue vulgaire, des almanachs et des histoires de géants. Ce n'était pas un cas rare au seizième siècle: des gens très sérieux, des magistrats, des professeurs, composaient, pour se distraire, des recueils d'anecdotes joyeuses et bouffonnes.

Ainsi Rabelais, auteur de travaux savants, dicta la vie et les aventures du bon géant Gargantua et de son fils Pantagruel. Avant même de commencer son récit, l'auteur avertit ses lecteurs de l'intention qui l'a poussé à écrire ses contes. «Amis lecteurs, dit-il, ne vous scandalisez pas en lisant ce livre, je n'ai pas visé d'autre but que celui de vous faire rire.

«Voyant le deuil qui vous mine et consomme:
«Mieux est de ris que de larmes écrire
«Pour ce que rire est le propre de l'homme.»

Mais Rabelais est le premier écrivain qui ait introduit dans les histoires de géants des idées sérieuses et, peut-être, une philosophie.

Dans son prologue, l'auteur fait le portrait de Socrate, tel que nous l'a montré son disciple Alcibiade, dans *le Banquet*. Socrate, nous dit-il, ressemblait à une de ces petites boîtes qu'on voit dans les boutiques de pharmaciens: à l'extérieur, elles sont couvertes de figures grotesques, au nez pointu, aux cheveux hérissés; mais quand on les ouvre, on trouve, à l'intérieur, des drogues fines et précieuses. Tel était Socrate, nous assure son disciple Alcibiade; mal habillé, mal bâti, l'allure bizarre, le visage grimaçant et pourtant possédant les vertus les plus rares: intelligence brillante, courage invincible, humanité profonde, joie de vivre et aussi un mépris total pour tout ce qui tourmente la plupart des hommes.

Ainsi Rabelais nous avertit que le lecteur, en observant la conduite et en écoutant les paroles de ses géants, pourra extraire «la substantifique moelle» de ses livres. Il nous conseille d'imiter le chien qui a trouvé un os. Le chien, nous dit-il, est l'animal le plus philosophe; remarquez comme il garde son os, avec quel soin il le brise, car il sait que cet os contient un aliment délicieux et nourrissant, la moelle. À l'exemple de ce chien, essayons de découvrir, sous les plaisanteries, la sagesse cachée et les idées sérieuses de l'auteur.

Dès sa naissance / Aussitôt qu'il vient au monde
crie à pleins poumons / hurle de toutes ses forces / vocifère

Que grand tu as le gosier! / Comme tu as un grand gosier!
qui est en train de célébrer / qui est occupé à fêter
l'heureux événement / la naissance du bébé

se développe merveilleusement / grandit et grossit prodigieusement
dès sa tendre enfance / tout jeune / en bas âge

abrutir son élève / rendre son élève idiot / abêtir son écolier
à l'endroit et à l'envers / du commencement à la fin et vice versa / d'un bout a l'autre, dans les deux sens
le force à avaler / l'oblige à lire en entier

fera ses études / suivra des classes / perfectionnera son éducation / étudiera les lettres et les sciences

Dès sa naissance, Gargantua est différent des autres enfants; en venant au monde, il crie déjà à pleins poumons:

—À boire! À boire!

—Que grand tu as (le gosier)! remarque son père Grandgousier, qui est en train de célébrer l'heureux événement avec quelques amis.

En entendant la remarque paternelle, ceux-ci s'écrient qu'il faut donner au nouveau-né le nom de Gargantua, puisque telle a été la première parole de son père à sa naissance.

Nourri du lait de milliers de vaches, le jeune géant grandit et se développe merveilleusement; il montre dès sa tendre enfance une intelligence exceptionnelle. Malheureusement son père le confie à maître Thubal Holopherne, un pédagogue dont les méthodes datent du Moyen Âge et risquent d'abrutir son élève; il lui fait apprendre par cœur l'alphabet, à l'endroit et à l'envers, c'est-à-dire de A à Z et de Z à A; du matin au soir, il lui enseigne la grammaire latine; il le force à avaler toute sorte de livres inutiles et ennuyeux. L'enfant, enfermé dans des salles d'études, n'exerçant que sa mémoire, en devient comme stupide. Son père, voyant les résultats de cette méthode, décide que son fils fera ses études à Paris, sous la direction du sage humaniste Ponocrates, dont le nom signifie *laborieux*.

Cette éducation nouvelle va permettre à l'enfant de former harmonieusement son esprit et son corps: il deviendra, lui aussi, un

un humaniste / un érudit / un homme versé dans les langues et la littérature
initié à fond à / parfaitement instruit dans
excellant à / très habile dans / possédant une parfaite maîtrise de
fait appel à / a recours à / s'adresse à
remettre son élève en meilleure voie / faire perdre à son élève ses mauvaises habitudes / réparer le mal qu'une mauvaise éducation a produit chez son écolier
fait sa toilette / se lave et s'habille
l'Écriture Sainte / l'Évangile
s'il le faut / chaque fois que cela est nécessaire

fait une révision des leçons / étudie à nouveau les leçons déjà étudiées / repasse ses leçons
la veille / le jour précédent / le jour d'avant
cette longue séance / cette longue période
s'en donne à cœur joie / s'amuse follement
quand bon lui semble / quand ça lui plaît / quand il en a envie
dès qu'il se sent fatigué / aussitôt qu'il est las / au moment même où la fatigue le prend
s'asseyent / se mettent / prennent place
tout en devisant des / pendant qu'ils discutent sur les
sert / donne à manger / présente
se lavent les mains / se frottent les mains à l'eau et au savon
se curent les dents / se nettoient les dents avec un petit instrument pointu

consacré à / employé à
travaux d'écriture / exercices de calligraphie
leçons de choses / étude des objets d'usage courant
faire de lui un athlète accompli / l'entraîner à devenir un parfait sportsman

passe des jours paisibles / mène une vie tranquille
un léger incident / un événement inattendu et qui semble sans importance

fabricants de galettes / qui faisaient des gâteaux plats

envahit les terres / fait violemment irruption dans le domaine
vendangent les vignes / font la récolte des raisins
il est rappelé / on lui demande de revenir
au secours de / à l'aide de

humaniste initié à fond à toutes les sciences, et un gentilhomme excellant à tous les sports. Pour commencer, Ponocrates fait appel à un médecin, pour «remettre son élève en meilleure voie», pour lui nettoyer le cerveau des mauvaises habitudes qu'il a prises et pour lui faire oublier tout ce qu'il a appris sous son premier précepteur.

Tous les matins, Gargantua se lève à l'aube. Pendant qu'il fait sa toilette, on lui lit à voix haute une page de l'Écriture Sainte; et, s'il le faut, son précepteur lui en explique les points difficiles. Puis, après cette lecture, le maître et l'élève observent ensemble l'état du ciel et Gargantua prend une leçon d'astronomie.

Ensuite, pendant trois heures, il fait une révision des leçons qu'il a apprises la veille; enfin, après cette longue séance de travail, Gargantua sort avec un jeune page; il va jouer à la balle et s'en donne à cœur joie. Il s'arrête quand bon lui semble; en général, dès qu'il se sent fatigué.

Si le dîner est prêt, ils s'asseyent à table et mangent de bon appétit, tout en devisant des propriétés et de la nature des aliments qu'on leur sert: du pain, du vin, de l'eau, du sel, des viandes, des poissons, des fruits et des légumes. Après le dîner, ils se lavent les mains à l'eau fraîche, se curent les dents et chantent quelques cantiques à la louange de Dieu.

L'après-midi de Gargantua est consacré à des travaux d'écriture, à des leçons de choses, et à toute sorte d'exercices physiques tels que natation, lutte, course, équitation, qui doivent faire de lui un athlète accompli.

Pendant que Gargantua termine ses études à Paris, son père Grandgousier passe des jours paisibles dans sa propriété en Touraine. Or, sa tranquillité est bientôt troublée par un léger incident, une simple dispute entre villageois; les uns, des bergers, habitant le domaine de Grandgousier; les autres, des marchands, fabricants de galettes, sujets du Roi Picrochole, seigneur d'un village voisin. Celui-ci, sans déclaration de guerre, envahit les terres de son voisin Grandgousier; ses soldats volent le bétail, vendangent les vignes, ruinent le pays. Gargantua est rappelé de Paris et vient au secours de son père.

Grandgousier, en bon chrétien, considère tous les hommes

Selon lui / D'après ses théories / Conformément aux idées qu'il professe
assurer le bonheur / faire le nécessaire pour le bien-être
Je n'entreprendrai guerre / Je ne commencerai pas de guerre
que je n'aie essayé / sans avoir tâché

au cours de la bataille / pendant le combat / durant la mêlée
se couvre de gloire / s'illustre / se distingue
en prenant la défense de / en se battant pour

s'enfuit / s'échappe en courant

flétrit / condamne / stigmatise

doivent s'efforcer / ont le devoir d'essayer
en délivrer le monde / débarrasser d'elle l'humanité

à son intention / pour lui en faire cadeau

voudrait concilier / aimerait harmoniser / désire faire concorder

haut de six étages / qui atteint une hauteur de six étages
cent fois plus magnifique que Chambord / d'une bien plus grande splendeur que la résidence royale de Chambord
Au contraire de / À l'inverse de / À l'opposé de
C'est la plus grande folie du monde / C'est la chose la plus absurde qui soit / C'est le comble de la démence
se gouverner / régler sa vie
aussi bien que / ainsi que / de même que
une atmosphère / un milieu / une ambiance
matériaux précieux / matières premières de grand prix

nobles chevaliers / hommes nobles / gentilshommes
de haut parage / de la noblesse / de bonne naissance
vrais chrétiens / personnes d'une piété véritable et sincère

comme ses frères. Selon lui, un bon prince doit être pacifique et assurer le bonheur de ses sujets en observant la loi et l'Évangile: «Je n'entreprendrai guerre, affirme-t-il, que je n'aie essayé tous les arts et moyens de paix.»

Cependant les ennemis attaquent une abbaye située sur le domaine de Grandgousier: au cours de la bataille, un moine, Frère Jean des Entommeures, se couvre de gloire en prenant la défense de l'abbaye. Un peu plus tard, après un rude combat, Gargantua, avec l'aide de Frère Jean, écrase Picrochole qui s'enfuit et abandonne ses troupes.

Après la victoire, Gargantua traite les vaincus avec générosité, il les renvoie dans leurs foyers, après leur avoir fait un beau discours, dans lequel il flétrit la guerre: «La guerre, dit-il, est une survivance de la barbarie; c'est un fléau maudit par le laboureur et le marchand; les rois d'aujourd'hui doivent s'efforcer d'en délivrer le monde.»

Pour récompenser Frère Jean qui l'a si bien servi pendant la guerre, Gargantua bâtit à son intention, sur les bords de la Loire, l'abbaye de Thélème: c'est un somptueux monastère, tel que l'imagine Rabelais, homme de la Renaissance, qui voudrait concilier son amour de la nature avec la doctrine chrétienne.

L'abbaye ressemble à un splendide château de la Renaissance, haut de six étages; il est «cent fois plus magnifique que Chambord». Au contraire de toutes les abbayes du Moyen Âge, il n'y a pas de mur extérieur, et pas d'horloge, car «C'est la plus grande folie du monde de se gouverner au son d'une cloche.» L'abbaye accueille les femmes aussi bien que les hommes, et tous y vivent dans une atmosphère de culture et de politesse.

L'édifice, qui comprend plus de neuf mille chambres, est construit en matériaux précieux, en marbre et en porphyre; les salles vastes et claires sont ornées de peintures et de tapisseries; le long du fleuve et autour du monastère s'étendent d'immenses jardins, des vergers pleins d'arbres fruitiers, un théâtre et des piscines.

L'entrée de l'abbaye est interdite aux hypocrites et aux bigots, on n'y admet que les «nobles chevaliers,» les dames de «haut parage» et les vrais chrétiens.

Toute la vie des religieux et des religieuses de Thélème est

quand bon leur semble / quand ça leur plaît / quand ils en ont envie
quand le désir leur vient / quand ils en ont envie
chose quelconque / n'importe quoi / quoi que ce soit

Fais ce que voudras / Fais ce que tu voudras / Agis comme il te plaira
les porte au bien / les incite à agir honnêtement
il n'y en a pas un qui ne sache / ils savent tous

quelque raison / n'importe quelle raison / une raison quelconque

tous deux / ces deux personnes / l'un et l'autre
en bonne amitié / comme de bons amis / en parfait accord
dès le premier jour de leurs noces / à partir du jour de leur mariage
Telle est / Voilà ce qu'est

chez qui / parmi lesquels
est réglé par / est conforme à / obéit à

Rabelais

employée «non par la loi et les règles, mais selon leur vouloir. Ils se lèvent du lit quand bon leur semble, ils boivent, mangent, travaillent, dorment quand le désir leur vient. Nul ne les éveille, nul ne les force ni à boire, ni à manger, ni à faire chose autre quelconque.»

Ainsi l'a décidé Gargantua. Dans l'abbaye, la seule règle est: «Fais ce que voudras», car les gens instruits et courtois ont un instinct qui les porte naturellement au bien.

Tous ont reçu une si excellente éducation, qu'il n'y en a pas un qui ne sache lire, écrire, chanter, jouer d'un instrument de musique, parler cinq ou six langues . . . «Quand, pour quelque raison, l'un d'entre les Thélémites désire quitter l'abbaye, il emmène avec lui une des dames; il l'épouse et tous deux continuent à vivre en bonne amitié et à s'aimer jusqu'à la fin de leur vie comme dès le premier jour de leurs noces.»

Telle est l'abbaye fondée par le bon géant Gargantua; elle n'a sans doute jamais existé que dans l'imagination du joyeux conteur, laquelle exprime son rêve de vie cultivée, noble et élégante, éclairée par la foi chrétienne et par la joie de vivre.

Les Thélémites, comme Gargantua, représentent une élite, chez qui l'amour de la vie est réglé par la morale et par la raison.

Questionnaire

1. Quel goût les Français ont-ils toujours eu, en littérature?
2. Dans quel genre littéraire peignait-on les ridicules et les mauvaises mœurs du Moyen Âge?
3. Qui était François Rabelais?
4. Pour quelles raisons Rabelais était-il admiré de tous?
5. À quoi Rabelais s'est-il intéressé?
6. Où Rabelais a-t-il séjourné?

7. En quelle langue ses ouvrages savants étaient-ils écrits?
8. Comment certains professeurs, au seizième siècle, se distrayaient-ils?
9. Quel but visait Rabelais lorsqu'il a écrit ses contes?
10. Qu'est-ce que Rabelais a introduit dans les histoires de géants?
11. Quel portrait de Socrate son disciple Alcibiade nous a-t-il laissé?
12. Quelles vertus très rares Socrate possédait-il?
13. Comment Rabelais arrive-t-il à nous convaincre que le chien est l'animal le plus philosophe?
14. Qu'est-ce qui nous montre que dès sa naissance Gargantua était différent des autres enfants?
15. De quoi le jeune géant était-il nourri?
16. À qui Grandgousier a-t-il d'abord confié l'éducation de Gargantua?
17. Qu'est-ce que le précepteur fait apprendre à Gargantua?
18. Que décide Grandgousier, en voyant les résultats de cette méthode?
19. En quoi consiste l'éducation nouvelle que Gargantua reçoit du sage Ponocrates?
20. Qu'est-ce que Gargantua entend tous les matins?
21. Que fait-il ensuite, pendant trois heures?
22. À quel jeu se livre-t-il après sa longue séance de travail?
23. Quels aliments sert-on à Gargantua et au jeune page?
24. À quoi l'après-midi est-il consacré?
25. Quel incident trouble la tranquillité de Grandgousier pendant que son fils termine ses études à Paris?
26. Que font les soldats du roi Picrochole dans les terres de son voisin?
27. D'après Grandgousier, comment doit agir un bon prince?
28. Qu'est-ce que ses ennemis attaquent?
29. Comment le moine Jean des Entommeures se couvre-t-il de gloire?
30. Comment se termine le combat?
31. Après la victoire, comment Gargantua traite-t-il les vaincus?
32. Que dit Gargantua de la guerre, dans son beau discours?
33. Comment Gargantua récompense-t-il Frère Jean?
34. Qu'est-ce que c'est que l'Abbaye de Thélème?
35. Dans quelle atmosphère vivent les gens à l'Abbaye de Thélème?
36. Qu'y a-t-il autour du monastère?
37. Comment la vie des religieux de Thélème est-elle employée?
38. Quelle est la seule règle de l'abbaye?
39. Que savent faire les Thélémites, grâce à leur excellente éducation?
40. Qu'est-ce que les Thélémites représentent?

EXERCICES

1. (a) Amis lecteurs, ne *vous scandalisez* pas.
   (b) Amis lecteurs, ne *soyez* pas *choqués.*
   A. Il a été choqué en entendant vos paroles.
   B. Il ——— en entendant vos paroles.

2. (a) *Essayons de* découvrir la sagesse cachée.
   (b) *Efforçons-nous de* découvrir la sagesse cachée.
   A. Je m'efforce de comprendre ce problème.
   B. ——— comprendre ce problème.

3. (a) Grandgousier *est en train de* célébrer l'heureux événement.
   (b) Grandgousier *est occupé à* célébrer l'heureux événement.
   A. Elle était occupée à préparer le dîner.
   B. Elle ——— préparer le dîner.

4. (a) *S'il le faut,* son précepteur les lui explique.
   (b) *Si cela est nécessaire,* son précepteur les lui explique.
   A. Si cela est nécessaire, je consulterai le médecin.
   B. ———, je consulterai le médecin.

5. (a) Il s'arrête quand *bon lui semble.*
   (b) Il s'arrête quand *ça lui plaît.*
   A. Je vous prête ce livre, rendez-le moi quand ça vous plaira.
   B. Je vous prête ce livre, rendez-le moi quand ———.

6. (a) Il cesse de jouer à la balle *dès qu'*il est fatigué.
   (b) Il cesse de jouer à la balle *au moment même où* il est fatigué.
   A. Nous dînerons au moment même où tu arriveras.
   B. Nous dînerons ——— tu arriveras.

7. (a) Ils mangent les aliments qu'on leur *sert.*
   (b) Ils mangent les aliments qu'on leur *donne à manger.*
   A. Au dessert, on m'a donné à manger un gâteau délicieux.
   B. Au dessert, on m'a ——— un gâteau délicieux.

8. (a) Nul ne les force à faire *une* chose *quelconque.*
   (b) Nul ne les force à faire *n'importe quelle* chose.
   A. Avec son mauvais caractère, il se met en colère pour un prétexte quelconque.
   B. Avec son mauvais caractère, il se met en colère pour ——— prétexte.

9. (a) *Tous deux* continuent à vivre en bonne amitié.
   (b) *L'un et l'autre* continuent à vivre en bonne amitié.
   A. Je vous invite l'un et l'autre à dîner.
   B. Je vous invite ——— à dîner.

LAS MOCEDADES DEL CID.

COMEDIA PRIMERA.

POR D. GVILLEM DE CASTRO.

Los que hablan en ella son los siguientes.

El Rey D. Fernando.
La Reyna su muger.
El Principe D. Sācho.
La Infanta doña Vrraca.
Diego Laynez Padre del Cid.
Rodrigo, el Cid.
El Conde Loçano.
Ximena Gomez hija del Conde.
Arias Gonçalo.
Peransules.
Hernan Dias, y Bermudo Lain hermanos de Cid.
Elvira criada de Ximena Gomez.
Vn Maestro de armas del Principe.
D. Martin Gōçales
Vn Rey Moro.
Quatro Moros.
Vn Pastor.
Dos, o tres Pajes, y alguna otra gēte de acompañamiento.

s'illustra / se rendit célèbre / devint fameux

dit / surnommé

chanson de geste / poème épique ou héroïque du Moyen Âge

porte à la scène / écrit une pièce de théâtre sur

Le Cid

Au onzième siècle vivait en Espagne un chevalier qui s'illustra en combattant les Maures; il s'appelait Rodrigue Díaz de Bivar, dit le Cid Campeador. Il devint le héros d'un grand nombre d'œuvres littéraires: ses exploits sont chantés, dès le milieu du 5 douzième siècle, dans une chanson de geste espagnole, *le Poème du Cid,* qui exalte les vertus guerrières de Rodrigue. Puis d'autres poèmes et romances viennent embellir l'image du héros et ajouter à son existence des épisodes prestigieux. Enfin, en 1618, l'écrivain espagnol Guillén de Castro porte à la scène la légende du Cid dans 10 son drame *les Enfances du Cid.*

le père de / le créateur de
a puisé son inspiration dans / s'est inspiré de

avec un succès retentissant / triomphalement / avec un immense succès

les lycées et les collèges / les établissements d'enseignement secondaire

Au lever du rideau / Au commencement de la pièce
l'avenir se présente / le futur apparaît

s'entretient avec / converse avec / parle à
lui fait part de / la met au courant de / lui fait savoir

sont d'accord / sont du même avis / ont pris un engagement réciproque

est sur le point de / est près de / se prépare à

Au sortir du / Au moment où il sort du

qui vient d'être nommé / qu'on a tout récemment nommé / qui a depuis peu été choisi comme
s'apprête à / se prépare à / se dispose à / est sur le point de
se met dans une violente colère / entre en fureur / se fâche terriblement

va même jusqu'à le souffleter / se permet de le gifler / perd son empire sur lui-même au point de le frapper au visage
laisse éclater / donne libre cours à / ne contient pas
vieillesse ennemie / vieillesse qui me désavantage / grand âge qui m'affaiblit et m'empêche de me défendre
N'ai-je donc tant vécu que / Ai-je ainsi atteint cet âge avancé, seulement
pour cette infamie / pour subir cette insulte sans me venger
ne suis-je blanchi dans les travaux guerriers? / n'ai-je vieilli à la guerre? / n'ai-je consacré toute ma longue existence aux batailles?
flétrir tant de lauriers / salir tant de gloire militaire
laver cet outrage / venger cette offense grave / effacer cette insulte
va trouver / se rend auprès de / va voir
qu'il doit / contre lequel il faut que

C'est dans ce drame que Pierre Corneille, le père de la tragédie classique française, a puisé son inspiration pour sa pièce *le Cid* qui fut présentée pour la première fois à Paris, probablement au début de l'année 1637, avec un succès retentissant.

5 Aujourd'hui, grâce à Corneille, ce personnage moitié historique, moitié légendaire est presque aussi familier aux Français qu'aux Espagnols: dans les lycées et les collèges de France, les écoliers qui récitent des fables de La Fontaine et des poèmes de Victor Hugo, apprennent aussi par cœur des scènes et des tirades du *Cid*.

10 Au lever du rideau, l'avenir se présente, pour Rodrigue, sous l'aspect le plus favorable. La belle Chimène, fille de Don Gomès, comte de Gormas, s'entretient avec sa gouvernante et lui fait part de ses projets de mariage. Chimène apprend avec joie que son père et Don Diègue, le père de Rodrigue, sont d'accord pour 15 qu'elle épouse Rodrigue, jeune homme d'une valeur exceptionnelle, et que Don Diègue est sur le point de demander pour son fils, la main de Chimène. Pourtant celle-ci éprouve quelque angoisse qu'elle confie à sa gouvernante:

—Il semble toutefois que mon âme troublée
20 Refuse cette joie et s'en trouve accablée:
Un moment donne au sort des visages divers
Et dans ce grand bonheur je crains un grand revers.

Au sortir du conseil du roi, le vieux et vénérable Don Diègue, qui vient d'être nommé précepteur du prince royal, s'apprête à 25 présenter à Don Gomès sa demande en mariage; mais Don Gomès, furieux de ne pas avoir été choisi se met dans une violente colère et insulte son rival. Il ose blâmer la décision du roi; il accuse Don Diègue d'avoir intrigué pour obtenir ce poste et va même jusqu'à le souffleter. Le père de Rodrigue laisse éclater sa désolation et s'écrie:

30 —Ô rage! ô désespoir! ô vieillesse ennemie!
N'ai-je donc tant vécu que pour cette infamie?
Et ne suis-je blanchi dans les travaux guerriers
Que pour voir en un jour flétrir tant de lauriers?

Il est trop affaibli par l'âge, pour pouvoir lui-même laver cet 35 outrage: sa honte est avivée par le sentiment de son impuissance et par le souvenir de sa gloire. Il va trouver son fils Rodrigue et le conjure de le venger; lorsque Rodrigue apprend que celui qu'il doit

combattre / se battre
tout d'abord / pour commencer
se lamente / gémit / se plaint

une juste querelle / une cause juste

cède au coup / s'abandonne à la fatalité
mon feu / mon amour / ma passion

se décide à / prend la décision de / se détermine à

il a tout à perdre / il risque tout / tout son bonheur est en jeu
force l'estime / impose le respect
il aime à voir clair en lui-même / il lui plaît de comprendre ses propres sentiments

Sans plus attendre / Sur le champ / Immédiatement
provoque en duel / défie
le traite de présomptueux / l'appelle orgueilleux / le qualifie de vaniteux

avoir raison de / l'emporter sur

le malheur des uns / l'infortune de certaines personnes
fait le bonheur des autres / rend d'autres personnes heureuses
accourent en même temps / arrivent au même moment / se présentent simultanément
justice contre lui / qu'il soit puni
l'âme haute / un caractère noble / des sentiments élevés
la soutient / l'aide / la rend plus forte
où elle se trouve / dans laquelle elle est

combattre est le père de sa fiancée, il hésite tout d'abord devant une décision aussi grave et il se lamente:

—Percé jusques au fond du cœur
D'une atteinte imprévue aussi bien que mortelle,
Misérable vengeur d'une juste querelle
Et malheureux objet d'une injuste rigueur,
Je demeure immobile et mon âme abattue
Cède au coup qui me tue.
Si près de voir mon feu récompensé,
Ô Dieu, l'étrange peine!
En cet affront mon père est l'offensé,
Et l'offenseur le père de Chimène.

Rodrigue se demande s'il va, par amour pour Chimène, renoncer à défendre l'honneur de sa famille. Il se décide enfin à venger son père. C'est la seule solution possible. Car s'il ne venge pas son père, il perd non seulement l'honneur, mais aussi l'estime et l'amour de Chimène, il a donc tout à perdre. Mais s'il venge son père, il force du moins l'estime de Chimène.

Rodrigue, héros cornélien, aime à voir clair en lui-même, non sans déchirement: la victoire de sa volonté est d'autant plus remarquable qu'elle est plus difficile.

Sans plus attendre, il provoque Don Gomès en duel, et comme celui-ci, surpris et condescendant, le traite avec un impertinent dédain de «jeune présomptueux», Rodrigue lui réplique:

—Je suis jeune, il est vrai; mais aux âmes bien nées,
La valeur n'attend point le nombre des années.

En effet, la jeunesse et la fougue de Rodrigue vont avoir raison de l'expérience de son adversaire et bientôt l'on apprend que Rodrigue a tué Don Gomès.

Le malheur des uns, dit le proverbe, fait le bonheur des autres. Don Diègue et Chimène accourent en même temps devant le roi: Don Diègue pour défendre le meurtrier et Chimène pour l'accuser.

Bien qu'elle aime Rodrigue, Chimène demande au roi justice contre lui; comme son fiancé, elle a l'âme haute; elle ne peut souffrir une basse pensée. Ce qui la soutient dans la situation tragique où elle se trouve, c'est le sentiment de son honneur. Car qu'est-ce que Rodrigue pourrait dire d'elle si elle ne s'efforçait pas de

de le faire condamner / d'obtenir du roi le châtiment de Rodrigue
la rendrait indigne de lui / elle ne mériterait pas son respect

diffère sa décision / remet son jugement à plus tard
statuer en son conseil / prononcer sa décision en présence de ses conseillers
autrement qu'il l'a fait / de façon différente

chaleur / colère / emportement passionné

un homme de cœur / un homme fier / un homme jaloux de son honneur
J'avais part à l'affront / L'insulte me touchait personnellement / L'outrage fait à mon père m'offensait aussi
si j'avais à le faire (encore) / si mon devoir était de recommencer

fui l'infamie / échappé au déshonneur / réparé l'insulte faite à ta famille
de quelque façon que / quelle que soit la manière dont

satisfait à l'honneur / fait ce que l'honneur réclamait / agi conformément à ce que l'honneur exigeait

c'est à moi de / il est de mon devoir de
c'est à un autre de / une autre personne doit / c'est au roi qu'il appartient de
du fond du cœur / dans le secret de mon âme / en mon for intérieur
le désespoir au cœur / découragé à l'extrême
À ce moment-là / Alors
déborde de joie / est radieux / jubile
se désoler / se lamenter / désespérer
lui fait voir / lui démontre
des devoirs à remplir / des obligations à accomplir / des tâches à exécuter
va la chercher / va au-devant d'elle
non pas pour une femme / une femme ne doit pas être le motif
si noble soit-elle / quelque noble qu'elle soit / quelque élevés que soient ses sentiments / même si elle est admirable
au service de / dans l'armée de
justement / en ce moment, par une heureuse coïncidence

le faire condamner, si elle avait moins que lui le sentiment de son devoir filial, si elle montrait une faiblesse qui la rendrait indigne de lui?

Le roi diffère sa décision et promet de statuer en son conseil. 5 Mais voici Rodrigue qui ose se présenter devant Chimène. Il lui offre sa vie, et lui explique pourquoi il n'a pas pu agir autrement qu'il l'a fait:

—Car enfin n'attends pas de mon affection
Un lâche repentir d'une bonne action.
10 L'irréparable effet d'une chaleur trop prompte
Déshonorait mon père, et me couvrait de honte.
Tu sais comme un soufflet touche un homme de cœur;
J'avais part à l'affront, j'en ai cherché l'auteur:
Je l'ai vu, j'ai vengé mon honneur et mon père.
15 Je le ferais encor, si j'avais à le faire.

Chimène le comprend et lui répond:

—Ah! Rodrigue, il est vrai, quoique ton ennemie,
Je ne puis te blâmer d'avoir fui l'infamie;
Et de quelque façon qu'éclatent mes douleurs,
20 Je ne t'accuse point, je pleure mes malheurs.

Rodrigue a accompli son devoir, il a satisfait à l'honneur. Mais elle, Chimène, doit agir aussi noblement que lui et venger son propre père.

—Tue-moi donc, lui dit Rodrigue.

25 —Non, s'écrie Chimène, c'est à moi de te poursuivre, mais c'est à un autre de te punir. Mon devoir m'ordonne de me venger, mais du fond du cœur j'espère échouer.

Rodrigue quitte Chimène, le désespoir au cœur. À ce moment-là, survient Don Diègue qui déborde de joie, qui remercie et félicite 30 son fils de lui avoir rendu l'honneur; mais lorsqu'il l'entend soupirer, se désoler et même souhaiter la mort, le vieux guerrier réprimande son fils et lui fait voir qu'il a des devoirs plus impérieux à remplir:

—Si tu souhaites la mort, lui dit-il, va la chercher, non pas pour 35 une femme, si noble et si charmante soit-elle, mais affronte-la sur un champ de bataille, au service de ton roi et de ton pays. Nos ennemis, les Maures, s'apprêtent justement à attaquer la ville

à la faveur de la nuit / en profitant de l'obscurité
leur flotte va descendre le fleuve / leurs bateaux suivront le cours du fleuve
ont déjà pris les armes / sont déjà prêts pour la bataille / se sont déjà armés
mets-toi à leur tête / sois leur chef / prends le commandement / conduis-les
ton vœu sera exaucé / ton désir sera comblé / tes souhaits se réaliseront
c'est l'unique moyen de / c'est la seule façon de / il n'y a pas d'autre méthode à suivre pour
regagner son cœur / retrouver son amour / rentrer dans ses bonnes grâces / mériter qu'elle te rende son cœur
des prodiges de valeur / des actions héroïques
en ces termes / par ces mots

s'acquitter vers toi / te témoigner sa reconnaissance / payer ses dettes envers toi
feront ta récompense / te donneront ce que tu mérites
en ma présence / devant moi
est autant que / veut dire / signifie
je ne t'envierai pas / je ne te refuserai pas / je t'accorderai
titre d'honneur / nom qui te fait honneur
qu'à ce grand nom tout cède / que rien ne résiste quand on prononce ce nom glorieux
sous mes lois / dans mon royaume / sous mon autorité
ce que tu me vaux / ta grande valeur pour moi / ton grand mérite / les services que tu peux me rendre / combien tu m'es utile
ne désarment pas Chimène / n'affaiblissent pas la résistance de Chimène / ne font pas abandonner la lutte à Chimène / ne font pas oublier sa vengeance à Chimène
céder / plier / fléchir
duel judiciaire / combat autorisé par le roi et admis, au Moyen Âge, comme preuve juridique
se battra en duel avec / combattra
est amoureux de / aime
faire ses adieux à / prendre congé de
sa bien-aimée / la femme qu'il aime
se rendant compte / comprenant bien
se faire pardonner / obtenir son pardon
se faire tuer / ne pas se défendre / se laisser prendre la vie
laisse échapper l'aveu / ne peut se retenir d'avouer / confesse
s'il le faut / si c'est absolument nécessaire / s'il n'y a pas d'autre moyen
elle ne se sent aucun penchant / elle ne ressent pas d'amour / elle n'a pas la moindre inclination

à la faveur de la nuit; leur flotte va descendre le fleuve jusqu'à nos murs. Nos amis ont déjà pris les armes; mets-toi à leur tête. Puisque tu désires mourir, ton vœu sera peut-être exaucé; mais je souhaite plutôt que tu reviennes du combat couvert de gloire; tu obligeras ainsi le roi à te pardonner et Chimène à abandonner sa vengeance. Si tu l'aimes, apprends que revenir vainqueur, c'est l'unique moyen de regagner son cœur.

Rodrigue court alors à la défense de son pays. Il accomplit des prodiges de valeur, repousse l'ennemi et revient bientôt en triomphateur. Le roi lui-même le reçoit en ces termes:

—Pour te récompenser, ma force est trop petite
Et j'ai moins de pouvoir que tu n'as de mérite.
Le pays délivré d'un si rude ennemi,
Mon sceptre dans ma main par la tienne affermi...
Ne sont point des exploits qui laissent à ton roi
Le moyen ni l'espoir de s'acquitter vers toi.
Mais deux rois, tes captifs, feront ta récompense.
Ils t'ont nommé tous deux leur Cid en ma présence:
Puisque Cid en leur langue est autant que seigneur,
Je ne t'envierai pas ce beau titre d'honneur.
Sois désormais le Cid: qu'à ce grand nom tout cède;
Qu'il comble d'épouvante et Grenade et Tolède,
Et qu'il marque à tous ceux qui vivent sous mes lois
Et ce que tu me vaux, et ce que je te dois.

Pourtant, la victoire et le triomphe de Rodrigue ne désarment pas Chimène. Elle ne veut pas faire céder son honneur devant son amour. Elle demande le duel judiciaire: le roi lui accorde alors de désigner celui qui sera son champion et se battra en duel avec Rodrigue. Chimène devra épouser le vainqueur. Don Sanche, qui est amoureux de Chimène, accepte cette mission périlleuse.

Rodrigue vient alors faire ses adieux à sa bien-aimée. Devant tant d'obstination et se rendant compte qu'il est incapable de se faire pardonner et de reconquérir l'amour de Chimène, il est décidé à se faire tuer par Don Sanche. Chimène, défaillante, laisse alors échapper l'aveu de son amour. Elle supplie Rodrigue de vivre et même, s'il le faut, de tuer le champion qui combattra pour elle, mais pour qui elle ne se sent aucun penchant.

m'ôter à / me délivrer de / me débarrasser de

l'objet de mon aversion / l'homme que je déteste
Te dirai-je encore plus? / Dois-je ajouter autre chose?
Pour forcer mon devoir / Pour m'obliger à renoncer à venger mon père
si tu sens pour moi ton cœur encore épris / si tu m'aimes encore
le prix / la récompense

un gentilhomme / un noble
a risqué sa vie / s'est exposé à la mort
rien ne s'oppose plus / plus rien ne fait obstacle / il n'y a plus d'empêchement
l'invite à / lui conseille de / l'engage à

—Défends-toi maintenant pour m'ôter à Don Sanche;
Combats pour m'affranchir d'une condition
Qui me donne à l'objet de mon aversion.
Te dirai-je encor plus? Va, songe à ta défense
Pour forcer mon devoir, pour m'imposer silence;
Et si tu sens pour moi ton cœur encore épris,
Sors vainqueur d'un combat dont Chimène est le prix.

Rodrigue et Don Sanche se rencontrent sur le terrain. Don Sanche est vaincu, mais Rodrigue, magnanime, le désarme et refuse de tuer un gentilhomme qui a risqué sa vie pour Chimène.

Désormais, rien ne s'oppose plus au bonheur de Rodrigue et de Chimène: il est trop tard, maintenant, pour que Chimène réclame sa vengeance; le roi l'invite à pardonner; plus tard, elle épousera Rodrigue.

Don Diègue se lamente.

Questionnaire

1. Dans quel siècle vivait Rodrigue de Bivar?
2. De quel pays Le Cid Campeador devint-il le héros national?
3. Comment certaines œuvres littéraires embellissent-elles l'image du héros?
4. Qui est le «père» de la tragédie classique française?
5. Quelle sorte de personne le Cid est-il aujourd'hui pour nous?
6. Au lever du rideau, de quoi Chimène parle-t-elle à sa gouvernante?
7. Qui vient d'être nommé précepteur du prince?
8. De quoi Don Gomès accuse-t-il Don Diègue?
9. Que s'écrie le père de Rodrigue, après avoir été souffleté?
10. Qu'est-ce que son vieux père veut que Rodrigue fasse?
11. Quels sentiments éprouve Rodrigue, lorsqu'il apprend qu'il doit combattre le père de sa fiancée?
12. Quelle est la seule solution possible pour Rodrigue?
13. Que réplique Rodrigue, lorsque Don Gomès le traite de «jeune présomptueux»?
14. Comment se termine le duel entre Rodrigue et le père de Chimène?
15. Pour quelles raisons Don Diègue et Chimène accourent-ils en même temps devant le roi?
16. Qu'est-ce qui soutient Chimène dans la situation tragique où elle se trouve?
17. Lorsqu'il se présente devant Chimène, comment Rodrigue justifie-t-il ce qu'il a fait?
18. Quand Rodrigue quitte Chimène, le désespoir au cœur, comment le vieux Don Diègue réprimande-t-il son fils?
19. Quel est, d'après Don Diègue, l'unique moyen pour Rodrigue de regagner le cœur de Chimène?
20. Comment le roi reçoit-il le triomphateur?
21. Quel titre le roi reconnaît-il à Rodrigue?
22. Qu'est-ce que le roi accorde à Chimène, lorsqu'elle lui demande le duel judiciaire?
23. De quelle façon Chimène supplie-t-elle le Cid de se battre contre Don Sanche?
24. Quel est le dénouement de cette histoire?

EXERCICES

1. (a) Il *s'appelait* Rodrigue.
   (b) Il *se nommait* Rodrigue.
   A. Comment se nomme votre ami?
   B. ———

2. (a) La belle Chimène *s'entretient avec* sa gouvernante.
   (b) La belle Chimène *parle à* sa gouvernante.
   A. J'ai longtemps parlé à mon amie.
   B. ———

3. (a) Elle *lui fait part de* ses projets.
   (b) Elle *la met au courant de* ses projets.
   A. Mettez-moi au courant des détails de cette affaire.
   B. ———

4. (a) Don Diègue *est sur le point de* faire la demande en mariage.
   (b) Don Diègue *est près de* faire la demande en mariage.
   A. Nous étions près de partir quand il est arrivé.
   B. ———

5. (a) Il *va jusqu'à* le souffleter.
   (b) Il *se permet de* le souffleter.
   A. Je ne me permettrais pas de faire une chose pareille.
   B. ———

6. (a) Celui qu'il *doit* combattre est le père de sa fiancée.
   (b) Celui qu'il *est obligé de* combattre est le père de sa fiancée.
   A. Êtes-vous obligé d'assister à cette réunion?
   B. ———

7. (a) Il *se décide à* venger son père.
   (b) Il *prend la décision de* venger son père.
   A. Elles ont pris la décision de visiter la France.
   B. ———

je ne l'aurais pas cru / je n'aurais jamais pensé cela / j'avais là-dessus des idées bien différentes

nous sommes toujours de l'avis de Boileau / nous avons encore la même opinion que Boileau

nous nous reconnaissons dans / nous nous retrouvons dans

il souffre d'une maladie / il est atteint d'une affection

Alceste

Le Roi Louis XIV demandait un jour à Boileau:

—Quel est le plus grand écrivain de mon règne?

—Sire, c'est Molière, répondit le critique.

—Ah! dit le roi, je ne l'aurais pas cru, mais vous savez ces 5 choses mieux que moi.

Trois siècles plus tard, nous sommes toujours de l'avis de Boileau: nous aimons Molière, pour sa gaieté, pour son mépris des sots, pour sa connaissance profonde du cœur humain. Il nous divertit et, parfois aussi, nous émeut, car nous nous reconnaissons 10 dans tel ou tel de ses personnages. Parmi ceux-ci, il n'y en a pas de plus universel qu'Alceste, le héros de la comédie *le Misanthrope*, qui fut représentée pour la première fois le 4 juin 1666.

Alceste est un misanthrope, c'est-à-dire qu'il souffre d'une maladie morale: il hait le genre humain. Il ne déteste pas seulement les 15 vicieux et les méchants, il condamne tous les hommes.

certains critiques l'ont soutenu / quelques érudits l'ont affirmé
le tourne en ridicule / se moque de lui / le ridiculise
ses semblables / autrui / son prochain
corriger de leurs défauts / rendre meilleurs / régénérer
s'efforce de / fait de son mieux pour / fait tout ce qu'il peut pour

La scène se passe / L'action se déroule / Le décor représente

son manque de franchise / sa fausseté / son hypocrisie / sa dissimulation
en effet / effectivement
un honnête homme [expression vieillie dans le sens suivant] / un homme bien élevé
comme on disait / selon l'expression en usage
se garde de / évite de / fait attention à ne pas
quand il va dans le monde / lorsqu'il fréquente la haute société
importe plus / est plus importante / compte plus
faire semblant d'éprouver / feindre de ressentir / faire comme si on éprouvait
éprouver du plaisir / ressentir de la joie / se réjouir
dans la compagnie de / avec / dans la société de
nous ennuient / nous importunent / ne nous amusent ni ne nous intéressent
il ne faudrait jamais mentir / on devrait toujours dire la vérité / il ne faudrait jamais déguiser sa pensée / on devrait toujours être sincère
Philinte pose alors cette question / Philinte demande alors / Dans ce cas-là, s'enquiert Philinte
que voulez-vous qu'on fasse? / que devrions-nous faire? / quelle autre attitude nous conseillez-vous? / comment pouvons-nous faire autrement?
en homme d'honneur / comme un homme loyal
On ne lâche aucun mot / On ne dise pas une seule parole
qui ne parte du cœur / qui ne soit pas sincère
quand on est du monde / quand on appartient à la bonne société / quand on est bien élevé
il faut bien que l'on rende / on est bien obligé de présenter
Quelques dehors civils / Des marques apparentes d'estime et de respect
que l'usage demande / que la coutume exige / imposés par l'étiquette
en toute rencontre / en toutes circonstances / à chaque occasion

n'est pas convaincu / persiste dans son opinion
sages conseils / avis raisonnables
des mœurs du temps mettons-nous moins en peine / préoccupons-nous moins des mœurs du temps / ayons plus d'indulgence pour les défauts de nos contemporains / inquiétons-nous moins de la morale actuelle
faisons un peu grâce à / soyons moins sévères envers
dans la grande rigueur / sans indulgence / trop sévèrement

Alceste n'est donc pas, comme certains critiques l'ont soutenu, un homme bon et vertueux que Molière tourne en ridicule; un homme vertueux réprouve les vices, mais il aime ses semblables et espère pouvoir les corriger de leurs défauts, comme un médecin s'efforce de guérir ses malades. Notre héros, lui, blâme l'humanité entière.

Au début de la comédie, nous faisons la connaissance d'Alceste, qui est en train de discuter avec Philinte. La scène se passe dans le salon de la jeune et jolie veuve Célimène qu'ils attendent.

Alceste reproche à son ami son manque de franchise et de sincérité: en effet, Philinte qui est un homme aimable et bien élevé, un honnête homme, comme on disait au dix-septième siècle, se garde, quand il va dans le monde, de dire toujours ce qu'il pense: pour lui, la politesse importe plus que la franchise et que la sincérité. Il faut, pense-t-il, faire semblant d'éprouver du plaisir dans la compagnie de nos semblables, même s'ils nous ennuient et même si nous les méprisons un peu.

Pour Alceste, au contraire, il ne faudrait jamais mentir. Philinte lui pose alors cette question:

—Mais sérieusement, que voulez-vous qu'on fasse?

Et il reçoit cette réponse:

—Je veux qu'on soit sincère, et qu'en homme d'honneur,
On ne lâche aucun mot qui ne parte du cœur.

À quoi Philinte réplique:

—Mais quand on est du monde, il faut bien que l'on rende
Quelques dehors civils que l'usage demande.

Alceste reste intransigeant:

—Je veux que l'on soit homme et qu'en toute rencontre
Le fond de notre cœur dans nos discours se montre;
Que ce soit lui qui parle, et que nos sentiments
Ne se masquent jamais sous de vains compliments.

Mais Philinte n'est pas convaincu et il donne à son ami ces sages conseils:

—Mon Dieu, des mœurs du temps mettons-nous moins en peine,
Et faisons un peu grâce à la nature humaine;
Ne l'examinons point dans la grande rigueur,

quelque douceur / bienveillance / un peu d'indulgence
traitable [expression vieillie] / accommodante / complaisante
À force de sagesse / Quand on est trop vertueux
fuit toute extrémité / évite tout excès
avec sobriété / avec mesure
À ce moment, survient un troisième personnage / Une troisième personne entre alors en scène
la manie / la passion / la marotte / l'idée fixe
il vient de composer / il a, à l'instant, composé / il a tout récemment écrit
se met aussitôt / commence tout de suite
en toute franchise / bien sincèrement / sans cacher la vérité
trouve son sonnet détestable / pense que sa pièce de vers est exécrable
se fâche / se met en colère

prétend détester / déclare qu'il déteste / affirme qu'il déteste
tout le monde / tous les gens
se trompe lui-même / fait erreur / se fait illusion / se ment à lui-même
de la haute société / du grand monde
les pires / les plus extrêmes / les plus pénibles
Il se querelle avec elle / Ils se disputent tous les deux / Il se dispute avec elle / Il lui fait une scène

Des amants [expression vieillie] / Des soupirants / Des hommes qui lui font la cour
Des amants que je fais me rendez-vous coupable? / Est-ce ma faute si les hommes tombent amoureux de moi?
doux / gentils / discrets
mettre dehors / congédier / renvoyer
Alceste aurait mieux fait de / Alceste aurait été plus sage de / Il aurait mieux valu pour Alceste qu'il
tomber amoureux de / devenir amoureux de / s'éprendre de
remontre / fait remarquer
tombe d'accord avec son ami / partage l'opinion de son ami/ admet que son ami a raison
aveuglément / déraisonnablement / sans discernement
nous fait rire / nous divertit / nous amuse
ne s'en soucient pas le moins du monde / ne s'y intéressent pas du tout / n'y attachent pas la moindre importance
ne saurait vivre heureux en société / est incapable de s'adapter à la vie en société / ne se sent pas à son aise en compagnie de ses semblables
les ennuis / les difficultés / les soucis / les tracas
que sa méchante humeur lui a attirés / que son mauvais caractère lui a occasionnés / causés par son intolérance

Et voyons ses défauts avec quelque douceur.
Il faut, parmi le monde, une vertu traitable;
À force de sagesse on peut être blâmable;
La parfaite raison fuit toute extrémité
Et veut que l'on soit sage avec sobriété.

À ce moment, survient un troisième personnage, Oronte, vaniteux et sot, qui a la manie d'écrire des poèmes. Il veut absolument faire entendre à Alceste un sonnet qu'il vient de composer et il se met aussitôt à le lui lire d'un air satisfait. Puis il prie Alceste de lui donner son opinion en toute franchise. Fidèle à ses principes, notre misanthrope lui déclare qu'il trouve son sonnet détestable; Oronte se fâche contre lui et la scène finit sur une violente querelle.

Alceste, qui prêche une morale sévère et prétend détester tout le monde, se trompe lui-même, car il aime passionnément une jeune veuve de la haute société, la séduisante Célimène, qui lui fait souffrir les pires tourments de la jalousie.

Il se querelle avec elle, comme il l'a fait avec Oronte, et lui reproche de recevoir chez elle trop de soupirants. Célimène se défend en lui disant:

—Des amants que je fais me rendez-vous coupable?
Puis-je empêcher les gens de me trouver aimable
Et lorsque pour me voir ils font de doux efforts,
Dois-je prendre un bâton pour les mettre dehors?

Alceste aurait mieux fait de tomber amoureux de la cousine de Célimène, la charmante Éliante, dont le cœur est solide et sincère. C'est ce que lui remontre Philinte. Alceste le reconnaît et tombe d'accord avec son ami:

—Il est vrai: ma raison me le dit chaque jour;
Mais la raison n'est pas ce qui règle l'amour.

Lui qui exècre les politesses hypocrites, les intrigues et les médisances, il aime aveuglément une mondaine frivole et médisante. Il nous fait rire, non pas, certes, à cause de sa passion pour la vérité, mais parce qu'il s'obstine à vouloir imposer ses principes de sincérité à des gens qui ne s'en soucient pas le moins du monde.

Un homme d'une morale si rigide, ne saurait vivre heureux en société. Exaspéré par les ennuis que sa méchante humeur lui a at-

Alceste se dispose donc à / Par conséquent, Alceste se prépare à / Ainsi, Alceste est sur le point de
Nous avons le choix / Nous sommes libres
c'est bien fait / il l'a bien mérité
À quoi sert de / À quoi bon
s'il nous manque / si nous n'avons pas

le jette / le pousse / le plonge

se moquer de / railler / tourner en ridicule
l'esprit chagrin et la malveillance le rejettent hors du bon sens / le pessimisme et l'intolérance l'excluent des limites de la sagesse

lance ses traits sur / raille / se moque de

comédie de mœurs / comédie qui peint les usages d'une époque

manifeste sa mauvaise humeur / se fâche / témoigne du mécontentement
homme de qualité / gentilhomme / aristocrate
fréquenter la cour / avoir souvent des contacts avec l'entourage du roi / être reçu chez le souverain
l'âme noble / un caractère élevé / des sentiments estimables
se conduire / se comporter / agir

à l'occasion / de temps en temps / si les circonstances l'exigent
en ces termes / ainsi / par ces paroles
accabler un homme de caresses / combler un homme de marques d'amitié / faire pleuvoir sur quelqu'un des paroles obligeantes
témoigner pour lui les dernières tendresses / manifester à son égard le plus grand attachement / lui montrer une immense amitié
Vous chargez la fureur de vos embrassements / Vous le prenez dans vos bras avec chaleur
À peine pouvez-vous dire / C'est tout juste si vous savez / Vous n'êtes presque pas capable de dire
comme il se nomme / comment il s'appelle / quel est son nom
dans le fond de leur cœur / en réalité
se détestent / se haïssent / ne peuvent pas se souffrir

tirés, Alceste décide de fuir dans le désert. Cependant, avant de partir, il veut savoir si la belle Célimène consentirait à le suivre dans sa retraite. Celle-ci l'accepterait bien comme époux, mais elle refuse de l'accompagner dans l'exil.

Alceste se dispose donc à partir seul. Nous avons le choix de le plaindre ou de penser que c'est bien fait. Tel est le châtiment de toute misanthropie. À quoi sert, en effet, d'être juste, s'il nous manque les deux vertus essentielles: la modestie et la charité?

Le misanthrope ne peut vivre fraternellement avec les hommes: son orgueil le jette dans une solitude hargneuse. Et Molière, en nous racontant les mésaventures d'Alceste, n'a pas eu l'intention de se moquer de la vertu, mais de nous montrer comment l'humeur noire, l'esprit chagrin et la malveillance de cet orgueilleux le rejettent finalement hors du bon sens et de la société.

* * *

Mais ce n'est pas seulement sur Alceste que Molière lance ses traits: *le Misanthrope*, portrait d'un personnage plaisant, est aussi une comédie de mœurs, c'est-à-dire qu'elle attaque certains usages de la société française à l'époque de Louis XIV.

Si Alceste manifeste souvent sa mauvaise humeur, c'est qu'il a de bonnes raisons pour le faire: homme de qualité, obligé de fréquenter la cour, il a l'âme noble et il est blessé de ne voir autour de lui que de l'hypocrisie et de la mauvaise foi. Ces courtisans qui prétendent se conduire selon les règles de la politesse ne sont que des ambitieux et des flatteurs, et ils cachent leurs sentiments véritables derrière leurs grimaces.

Le sage Philinte lui-même manque, à l'occasion, de sincérité et Alceste le lui reproche en ces termes:

—Je vous vois accabler un homme de caresses,
Et témoigner pour lui les dernières tendresses;
De protestations, d'offres et de serments
Vous chargez la fureur de vos embrassements;
Et quand je vous demande après quel est cet homme
À peine pouvez-vous dire comme il se nomme. . .

Tous ces gens qui, dans le fond de leur cœur, se détestent, mais

à tout propos / à n'importe quelle occasion / en toute circonstance

d'autres motifs / des raisons différentes

ont la manie de / passent leur temps à

à tout venant / à n'importe qui sans exception / à tous ceux qui leur tombent sous la main

faisant des scènes / cherchant querelle / accablant de reproches
sa bien-aimée / celle qu'il aime passionnément / la femme qu'il chérit
il est jaloux à juste titre / il a de bonnes raisons d'être jaloux / sa jalousie est bien fondée

de tout son cœur / sans restrictions / éperdument

aux yeux des indifférents / de l'avis des autres

en outre / de plus / par ailleurs
bien né / noble / gentilhomme

tout en médisant des absents / pendant qu'ils disent du mal des absents / tandis qu'ils échangent des racontars sur les absents

On s'est demandé / On s'est posé la question / On a souhaité savoir
parlait par la bouche de son misanthrope / exprimait ses propres idées par l'intermédiaire d'Alceste / se servait de son personnage pour dire ce qu'il pensait lui-même

À quarante ans passés / Ayant dépassé la quarantaine / Âgé de plus de quarante ans / Quadragénaire

une histoire / une mésaventure

de même que / comme / ainsi que
a eu en main / a eu sous les yeux / a vu de ses propres yeux

fait parvenir / envoyée / transmise
se mit dans une violente colère / s'emporta
nia qu'elle eût écrit / affirma qu'elle n'avait pas écrit / soutint qu'elle n'était pas l'auteur de

connaître bien des interprétations diverses / être interprétés de différentes façons / être présentés sur scène sous des aspects variés

avoir ridiculisé / s'être moqué de / avoir tourné en ridicule
est en lutte / se bat

qui se font à tout propos de grandes manifestations d'amitié, agacent l'honnête Alceste pour d'autres motifs: leur bêtise égale leur suffisance. Beaucoup d'entre eux, comme Oronte, ont la manie d'écrire des vers et ils récitent leurs sottises à tout venant; ils s'attendent à recevoir des compliments. Ils croient avoir des talents, parce qu'ils sont riches et puissants, et parce que des menteurs le leur assurent.

Quand nous rions d'Alceste faisant des scènes de jalousie à sa bien-aimée, nous devons reconnaître qu'il est jaloux à juste titre: dans cette société frivole et cynique, l'amour est considéré comme un jeu, un passe-temps agréable. Alceste, lui, est vraiment amoureux de Célimène, de tout son cœur, ce qui le rend facilement ridicule aux yeux des indifférents.

En outre, si Célimène apprécie ses attentions, car il est bien né et passionné, cela ne l'empêche pas de recevoir chez elle de jeunes snobs prétentieux qui se permettent de lui faire la cour, tout en médisant des absents. Leur méchanceté indigne Alceste, comme elle indigne Molière.

On s'est souvent demandé si c'était toujours Molière qui parlait par la bouche de son misanthrope: Molière, comme Alceste, était un sensible, un inquiet; comme lui, il détestait les contraintes de la vie mondaine; comme lui aussi, il a souffert les tourments de la jalousie. À quarante ans passés, il avait épousé la jolie Armande Béjart, toute jeune comédienne, coquette et légère. La trahison d'Alceste par Célimène, c'est une histoire qui est arrivée à Molière: de même qu'Alceste a eu en main la lettre écrite à un autre par son infidèle, Molière a pu lire une lettre que sa femme avait adressée au brillant Comte de Guiche et qu'un rival dédaigné par Armande avait fait parvenir au mari; celui-ci se mit dans une violente colère. Armande Béjart pleura, nia qu'elle eût écrit cette lettre. Molière pardonna et s'excusa de s'être emporté.

Une comédie aussi riche et un personnage aussi complexe devaient connaître bien des interprétations diverses. Au dix-huitième siècle, l'écrivain suisse Jean-Jacques Rousseau a reproché à Molière d'avoir volontairement ridiculisé un noble caractère, un héros solitaire qui est en lutte contre les maux de la société.

drame passionnel / conflit sentimental

s'est reflétée dans / s'est montrée dans / a influencé

jouent le rôle d'Alceste / interprètent le personnage d'Alceste / représentent Alceste

en font un personnage de drame / le rendent pathétique

allant jusqu'à pleurer sur la scène / ils en arrivent même à verser des larmes sur la scène

s'emportant au point de casser un fauteuil / se mettant dans une telle colère qu'ils vont jusqu'à casser un fauteuil

prête / fournit matière / incite

l'objet / le but / la raison d'être

est, non pas d'apporter / ne consiste pas à fournir

inviter / encourager / inciter

Après Rousseau, la Révolution française, qui voulait détruire l'Ancien Régime et en construire un nouveau, a considéré Alceste comme un révolutionnaire et son ami Philinte comme un réactionnaire égoïste.

À l'époque du Romantisme, entre 1815 et 1848, on donnait de la pièce une interprétation tragique: on s'intéressait surtout au drame passionnel qui se joue entre Alceste et Célimène.

La diversité de ces interprétations s'est reflétée dans les différentes manières dont les acteurs jouent le rôle d'Alceste: les uns en font un personnage de drame, allant jusqu'à pleurer sur la scène; d'autres, au contraire, le rendent presque grotesque, bégayant et bredouillant, s'emportant au point de casser un fauteuil.

On se demande quel est le véritable Alceste de Molière. C'est au lecteur et au spectateur de décider. Aucun chef-d'œuvre du théâtre français ne prête au rêve et à la méditation plus que *le Misanthrope*. Et l'objet de toute œuvre littéraire est, non pas d'apporter à nos questions des réponses claires et définitives, mais de nous émouvoir, de nous divertir et de nous inviter à réfléchir et à penser.

Questionnaire

1. Quel roi a posé un jour à Boileau une question intéressante?
2. Quelle question a-t-il posée?
3. Qu'est-ce que Boileau a répondu?
4. Qui était Boileau?
5. Selon ce critique, qui était le plus grand écrivain du règne de Louis XIV?
6. Qu'est-ce que le roi a déclaré?
7. Combien de temps s'est écoulé depuis cette conversation?
8. De quel avis sommes-nous aujourd'hui?
9. Pour quelles raisons aimons-nous Molière? (Donnez trois raisons.)
10. Quelle impression Molière fait-il sur nous?

11. Où nous reconnaissons-nous?
12. Qui est Alceste?
13. Qu'est-ce qu'un homme vertueux espère faire?
14. Lorsque nous faisons la connaissance d'Alceste, qu'est-il en train de faire?
15. Qu'est-ce qu'Alceste reproche à son ami?
16. Selon Philinte, quelle attitude faut-il prendre en compagnie de nos semblables?
17. Quelle réponse lui fait Alceste à ce sujet?
18. Quelle est la réplique de Philinte?
19. Comment Alceste réagit-il?
20. Quels sont les défauts d'Oronte?
21. Que veut-il absolument faire?
22. Comment lit-il le sonnet?
23. Comment cette scène finit-elle?
24. Qu'est-ce qu'Alceste prêche?
25. Qui est-ce qu'Alceste aime?
26. Qu'est-ce qu'Alceste reproche à Célimène?
27. Qu'aurait-il été préférable pour Alceste?
28. Selon Alceste, qu'est-ce qui ne règle pas l'amour?
29. Qu'est-ce qu'Alceste décide de faire?
30. Que refuse Célimène?
31. Où la malveillance rejette-t-elle finalement le misanthrope?
32. Qu'attaque Molière dans sa comédie de mœurs, *le Misanthrope?*
33. Pourquoi Alceste manifeste-t-il souvent sa mauvaise humeur?
34. En quels termes Alceste reproche-t-il au sage Philinte son manque de sincérité?
35. Pourquoi Alceste est-il jaloux?
36. Qui est-ce que Célimène reçoit chez elle?
37. De quelles différentes manières les acteurs jouent-ils le rôle d'Alceste?
38. Quel est l'objet de toute œuvre littéraire?

EXERCICES

1. (a) Nous *sommes de l'avis de* Boileau.
   (b) Nous *avons la même opinion que* Boileau.
   A. Il a la même opinion que son frère.
   B. ———

2. (a) Il *souffre* d'une maladie morale.
   (b) Il *est atteint* d'une maladie morale.
   A. J'ai été atteint de la grippe.
   B. ———

3. (a) Certains critiques l'ont *soutenu.*
   (b) Certains critiques l'ont *affirmé.*
   A. Et moi, j'affirme le contraire.
   B. ———

4. (a) Molière *le tourne en ridicule.*
   (b) Molière *se moque de lui.*
   A. Si tu fais ça, on se moquera de toi.
   B. ———

5. (a) Il *se garde* de dire toujours ce qu'il pense.
   (b) Il *évite* de dire toujours ce qu'il pense.
   A. Évitons de prononcer des paroles blessantes.
   B. ———

6. (a) Il faut *faire semblant* d'éprouver du plaisir en leur compagnie.
   (b) Il faut *feindre* d'éprouver du plaisir en leur compagnie.
   A. Quand je l'ai salué, il a feint de ne pas me voir.
   B. ———

7. (a) *Il veut absolument* lui faire entendre un sonnet.
   (b) *Il insiste pour* lui faire entendre un sonnet.
   A. Je ne l'ai pas invité, c'est lui qui a insisté pour revenir.
   B. ———

8. (a) Oronte s'est *fâché* contre lui.
   (b) Oronte s'est *mis en colère* contre lui.
   A. Si je vous parle franchement, vous mettrez-vous en colère contre moi?
   B. ———

9. (a) Nous pensons que *c'est bien fait pour toi.*
   (b) Nous pensons que *tu l'as bien mérité.*
   A. Il a échoué et il l'a bien mérité.
   B. ———

les mœurs les plus douces / un caractère très agréable
Sa physionomie annonçait / Sa figure révélait / On lisait sur son visage
Il avait le jugement assez droit / Il exprimait des opinions raisonnables
pour cette raison / pour cela / à cause de cela
on le nommait / on l'appelait / il était connu sous le nom de

tout le monde / chacun / on / tous les gens

elle pesait environ / sa corpulence atteignait à peu près
de la prestance / un maintien imposant
un air de noble majesté / une allure pleine de dignité

en tout / à tous les points de vue / à tous égards
âgée de dix-sept ans / qui avait dix-sept ans

Candide

«Il y avait en Westphalie, dans le château de Monsieur le baron de Thunder-ten-tronkh, un jeune garçon à qui la nature avait donné les mœurs les plus douces. Sa physionomie annonçait son âme. Il avait le jugement assez droit avec l'esprit le plus simple; c'est, je crois, pour cette raison qu'on le nommait Candide.»

C'est ainsi que Voltaire nous présente son personnage. Candide vivait heureux: le château du baron lui semblait le plus beau des châteaux et monsieur le baron, que tout le monde appelait Monseigneur, lui semblait un puissant seigneur.

Madame la baronne était une personne respectable et pleine de dignité; elle pesait environ trois cent cinquante livres, ce qui lui donnait de la prestance et un air de noble majesté.

Monsieur le baron et madame la baronne avaient deux enfants: un fils, qui paraissait en tout digne de son père, et une fille, Cunégonde, âgée de dix-sept ans, aussi aimable que jolie.

les hôtes du château / les habitants du château / ceux qui logeaient château
il y avait / se trouvait / on comptait
d'un vaste savoir / d'une culture générale très étendue / d'une immer érudition
tout est pour le mieux / toutes choses sont exactement comme el doivent être / tout marche parfaitement bien / tout va à la perfecti
les choses ne pouvaient être autrement qu'elles ne sont / rien ne pouvait passer d'une autre manière
affirmait-il / soutenait-il / prétendait-il / selon lui
ont été faits pour / ont été ainsi formés pour qu'on puisse / ont été cré dans le but de
aussi portons-nous / et voilà pourquoi nous portons / c'est pour cette rais que nous portons
étant faits pour / étant destinés à
du porc / de la viande de porc / de la charcuterie
toute l'année / d'un bout à l'autre de l'année / du 1er janvier 31 décembre
il ne pensait pas qu'il pût exister un plus grand bonheur / il pensait que plus grande joie au monde était
tous les jours / chaque jour / quotidiennement
aurait pu durer / aurait peut-être continué
ne lui avait donné un baiser / ne l'avait pas embrassée
qui passait justement par là / que le hasard amenait dans ces parages a même moment
fut témoin de la scène / vit ce qui se passait / assista à l'événement
se mit dans une violente colère / se fâcha tout rouge / entra en fureur
tout en larmes / pleurant abondamment / versant des pleurs
Le lendemain / Le jour suivant / Le jour d'après
transi de froid / gelé / grelottant
s'arrêta à la porte d'un cabaret / fit halte devant un café
s'avancèrent vers lui / firent quelques pas dans sa direction / s'approch rent de lui
se mirent à table / s'assirent à une table / s'installèrent pour dîner
s'aperçut bien vite / se rendit bientôt compte
qu'il avait été joué / qu'on l'avait dupé / qu'il était victime d'une fourberi
après avoir été roué de coups / après qu'on l'eut violemment battu
il se trouva incorporé malgré lui / il fut enrôlé de force / on le versa contr sa volonté
au son des trompettes / au rythme de la musique militaire / musique e tête
mordirent la poussière / tombèrent sur le champ de bataille
frappé d'horreur / plein de répulsion et de réprobation
s'enfuit / s'échappa / déserta
gagna la Hollande / atteignit la Hollande / arriva aux Pays-Bas
Peu de temps après / À quelque temps de là
un misérable, l'air moribond / un pauvre, qui semblait sur le point de mourir / un indigent, qui paraissait être à l'article de la mort

Parmi les hôtes du château, il y avait le précepteur Pangloss, aître d'une grande autorité et d'un vaste savoir; c'était un phisophe optimiste, qui prouvait que «tout est pour le mieux dans le eilleur des mondes possibles.» Il démontrait que les choses ne ouvaient être autrement qu'elles ne sont: les nez, affirmait-il, ont té faits pour porter des lunettes, aussi portons-nous des lunettes; s cochons étant faits pour être mangés, nous mangeons du porc oute l'année.

Candide écoutait attentivement le professeur et croyait tout ce u'il racontait. Le jeune homme trouvait mademoiselle Cunégonde xtrêmement belle et il ne pensait pas qu'il pût exister un plus rand bonheur que de la voir tous les jours et que d'entendre les çons de maître Pangloss, le plus grand philosophe de la province t, par conséquent, de toute la terre.

Cette vie heureuse aurait pu durer longtemps, si un jour après îner, Candide, rencontrant Cunégonde derrière un paravent, ne ui avait donné un baiser. Monsieur le baron, qui passait justement ar là, fut témoin de la scène; il se mit dans une violente colère et hassa Candide du château.

Candide marcha longtemps, tout en larmes, sans savoir où il llait. Il se coucha sans souper et dormit au milieu des champs ouverts de neige.

Le lendemain, transi de froid, Candide s'arrêta à la porte d'un abaret; deux hommes habillés de bleu le remarquèrent, s'avancèent vers lui et l'invitèrent à dîner. Tous les trois se mirent à table; e repas fut gai et cordial et, au dessert, on but à la santé du roi des Bulgares.

Mais Candide s'aperçut bien vite qu'il avait été joué: après voir été roué de coups, il se trouva incorporé malgré lui dans armée bulgare. Celle-ci fut bientôt conduite à la bataille au son les trompettes, des hautbois et des tambours. Candide fut épouanté par le spectacle du champ de bataille où quelques milliers le soldats mordirent la poussière; mais il fut surtout frappé d'horeur par la conduite de ses camarades qui massacraient sauvagenent vieillards, femmes et enfants.

Écœuré par tant de violence et de cruauté, Candide s'enfuit. Il agna bientôt la Hollande. Peu de temps après, il rencontra un nisérable au visage ravagé, toussant, crachant, l'air moribond; le

le misérable lui sauta au cou / le malheureux l'embrassa avec transport / pauvre bougre se jeta dans ses bras
Le pauvre professeur / L'infortuné précepteur
qui s'étaient abattues sur le château / qui avaient frappé le château / que château avait subies
y compris / et parmi eux / sans oublier

presque fou de chagrin / le cœur brisé / à qui la douleur fit presque perd la tête
au plus tôt / le plus vite possible / dès la première occasion
s'embarqua / prit un bateau
qui les avait pris à son service / qui les avait engagés / dont ils étaient l employés
se rendait à / allait à / partait pour
pour ses affaires / pour son commerce
devaient arriver / étaient inévitables / étaient fixées par le destin
font le bien général / constituent un bien pour la masse des gens / sont l'avantage de la communauté
plus il y a / plus le nombre est grand
Le vaisseau était en vue des côtes / Le bateau était à proximité de terre / Les passagers du navire pouvaient déjà voir les côtes
il fut assailli par la plus violente tempête / des vagues terribles le secouaie
la plupart des passagers / la grande majorité des voyageurs
Seuls Candide et Pangloss échappèrent au naufrage / Tous les passage périrent en mer excepté Candide et Pangloss / Il n'y eut que Candide Pangloss qui furent sauvés de la noyade
À peine avaient-ils mis le pied / Ils venaient d'arriver / Ils étaient tout just débarqués
sous leurs pas / sous eux / au-dessous de leurs pieds
s'écroulèrent / s'effondrèrent / tombèrent en ruines
Quant à Pangloss / En ce qui concerne Pangloss / Pangloss, lui
n'avait rien perdu de / avait conservé tout
ce qu'il y a de mieux / la meilleure chose qui puisse arriver
en effet / car / effectivement
ne soient pas où elles sont / n'occupent pas la place qu'elles doivent o cuper / ne se trouvent pas à leur place exacte
À la suite de / Après / En conséquence de
mettre à mort / exécuter
pour avoir tenu des propos subversifs / parce qu'il avait fait des discou dangereux pour l'ordre établi
pour les avoir écoutés / parce qu'il y avait prêté l'oreille

se disait intérieurement / méditait / pensait en son for intérieur / rumina
comme il allait être à nouveau poursuivi / au moment où on allait le juge encore une fois / pour éviter d'être arrêté de nouveau
dut s'enfuir au plus vite / fut obligé de quitter la ville en toute hâte

misérable lui sauta au cou: c'était Pangloss. Le pauvre professeur avait eu toute sorte de malheurs; il raconta à son ancien élève les calamités qui s'étaient abattues sur le château de Thunder-ten-tronkh, dont tous les habitants, y compris la charmante Cuné-
5 gonde, avaient été, disait-on, massacrés par les soldats bulgares.

Candide, presque fou de chagrin, décida de quitter ce pays au plus tôt; il s'embarqua, ainsi que Pangloss, en compagnie d'un marchand qui les avait pris à son service et qui se rendait à Lisbonne pour ses affaires. Pendant le voyage, Pangloss, qui aimait
10 toujours discourir et raisonner, essayait de consoler Candide en lui prouvant que toutes ces infortunes devaient arriver: «Tout cela était indispensable, prétendait-il, et les malheurs particuliers font le bien général; de sorte que plus il y a de malheurs particuliers, et plus tout est bien.»

15 Le vaisseau qui les portait était déjà en vue des côtes du Portugal, quand il fut assailli par la plus violente tempête. Il sombra bientôt et la plupart des passagers furent engloutis par les vagues furieuses. Seuls Candide et Pangloss échappèrent au naufrage.

À peine avaient-ils mis le pied dans la ville de Lisbonne, qu'ils
20 sentirent la terre trembler sous leurs pas; les rues et les places publiques étaient couvertes de flammes et de cendres; les maisons s'écroulèrent et trente mille habitants furent écrasés sous les ruines. Candide était abasourdi. Quant à Pangloss, il n'avait rien perdu de son optimisme: «Ce tremblement de terre, déclarait-il, est ce qu'il
25 y a de mieux . . . en effet, s'il y a un volcan à Lisbonne, il ne pouvait être ailleurs, car il est impossible que les choses ne soient pas où elles sont. Donc tout est bien.»

À la suite de cette catastrophe, les sages du pays décidèrent de mettre à mort quelques hérétiques, afin de prévenir un nouveau
30 tremblement de terre; on arrêta Pangloss, pour avoir tenu des propos subversifs, et Candide, pour les avoir écoutés. Pangloss fut pendu, mais Candide ne fut que fessé. Le même jour, la terre trembla avec un bruit épouvantable. Et Candide, épouvanté et sanglant, se disait intérieurement: «Si c'est ici le meilleur des
35 mondes possibles, que sont donc les autres?» Mais, comme il allait être à nouveau poursuivi, il dut s'enfuir au plus vite afin de ne pas être brûlé.

il y régnait une parfaite harmonie / il y avait une parfaite harmonie / une concorde parfaite existait

On n'y faisait brûler personne / Dans ce pays, personne n'était jamais condamné au bûcher / Dans cet endroit-là, personne ne subissait le supplice du feu

passèrent un mois / restèrent pendant un mois / firent un séjour d'un mois

fit la sottise de / eut la mauvaise idée de / commit l'imprudence de

malgré les remontrances du roi / sans écouter les conseils du souverain / en dépit des objurgations du monarque

Grand bien vous fasse! / Je souhaite que vous en tiriez profit, mais j'en doute

ne tardèrent pas à se repentir de / ne furent pas longs à regretter / déplorèrent bientôt

furent témoins de / virent des exemples de

s'établit / s'installa / se fixa

en compagnie de / avec

toute sorte de malheurs / bien des revers / grand nombre de tribulations

le désennuierait / l'aiderait à dissiper l'ennui / le distrairait

mener une vie agréable / jouir d'une existence pleine d'agréments

il n'en fut rien / ce ne fut pas le cas / cela n'arriva pas / tout au contraire

excédé de travail / surchargé d'occupations / surmené à la tâche

au désespoir / désespéré / désolé

tout est également mal partout / rien ne va bien nulle part / il n'y a que des malheurs sur cette terre

prenait les choses en patience / supportait tout sans se plaindre / acceptait son destin avec résignation

Il reprit ses pérégrinations, échappa plusieurs fois à la mort, traversa les mers et, après bien des mésaventures, il arriva en Amérique du Sud, avec son valet Cacambo, qui était un brave homme et lui était fort dévoué. C'est là qu'ils visitèrent ensemble le mystérieux pays d'Eldorado qui les émerveilla: il y régnait entre les habitants une parfaite harmonie et une parfaite tolérance. On n'y faisait brûler personne. Il n'y avait ni cour de justice ni prison. C'était l'ancienne patrie des Incas, aux fabuleuses richesses, où les enfants, dans les villages, jouaient au palet avec des morceaux d'or, des émeraudes et des rubis.

Candide et son valet passèrent un mois dans ce pays. Malheureusement Candide fit la sottise de vouloir partir et retourner en Europe avec Cacambo, malgré les remontrances du roi qui tâchait amicalement de les en dissuader. Toutefois, il les laissa partir, chargés d'or et de diamants, et leur dit en riant: «Grand bien vous fasse!»

Candide et Cacambo ne tardèrent pas à se repentir de leur bêtise: ils furent bientôt dépouillés de leurs richesses. Ils continuèrent à vagabonder à travers les continents et les mers. Ils séjournèrent en France, en Angleterre, à Venise, à Constantinople, et partout ils furent témoins de la méchanceté et de la folie des hommes.

Enfin, après mille tribulations, Candide s'établit dans une métairie, en compagnie de son fidèle Cacambo, du professeur Pangloss, et de sa chère Cunégonde, qui avait échappé à la mort et qu'il avait fini par retrouver.

Au cours de ses voyages, Candide avait fait la connaissance du philosophe Martin, un vieux savant, qui avait eu, lui aussi, toute sorte de malheurs et que Candide avait invité à le suivre, espérant que le savant le désennuierait.

Candide avait cru qu'après tant de désastres, il pourrait mener une vie agréable. Mais il n'en fut rien: Cunégonde était devenue acariâtre; Cacambo était excédé de travail et maudissait la vie; Pangloss était au désespoir de ne pas briller dans quelque université d'Allemagne; quant à Martin, il était persuadé que tout est également mal partout et il prenait les choses en patience.

Candide, Martin et Pangloss disputaient quelquefois de méta-

avait beaucoup souffert / avait mené une existence pleine de douleurs / avait passé par bien des peines
une fois / jadis / autrefois
à merveille / très bien / le mieux possible
n'en croyait rien / ne le croyait pas du tout / pensait tout le contraire
le seul moyen de / la seule façon de / l'unique manière de
rendre la vie supportable / se faire une existence tolérable
Le travail éloigne de nous trois grands maux / Grâce au travail, trois tourments nous sont épargnés / Le travail nous protège contre trois calamités
se rangeait à cet avis / partageait cette opinion / suivait cette manière de voir

Cela est bien dit / Vous parlez d'or
il faut cultiver notre jardin / il faut accepter nos responsabilités / il faut intervenir contre le mal / nous devons travailler et agir

physique et de morale. Pangloss avouait qu'il avait beaucoup souffert, mais comme il avait une fois soutenu que tout allait à merveille, il le soutenait toujours et n'en croyait rien. Martin affirmait que l'homme est né pour vivre dans les convulsions de
5 l'inquiétude ou dans la léthargie de l'ennui, et que le seul moyen de rendre la vie supportable, «c'est de travailler sans raisonner.»

Un bon vieillard turc avait dit à Candide: «Le travail éloigne de nous trois grands maux: l'ennui, le vice et le besoin.» Et Candide se rangeait à cet avis.

10 Un jour, Pangloss annonça:

—Tous les événements sont enchaînés dans le meilleur des mondes possibles...

—Cela est bien dit, répondit Candide, mais il faut cultiver notre jardin.

Questionnaire

1. Qu'est-ce que la nature avait donné à Candide?
2. Quel jugement et quel esprit avait Candide?
3. Où vivait Candide, au commencement de l'histoire?
4. Quel genre de personne était madame le baronne?
5. Comment était Cunégonde à l'âge de dix-sept ans?
6. Qui était Pangloss?
7. Que voulait-il prouver?
8. Pourquoi le baron a-t-il chassé Candide du château?
9. Où Candide a-t-il dormi la nuit suivante?
10. Qu'est-ce que les deux hommes habillés de bleu ont fait à Candide?
11. Comment avait-on mené l'armée bulgare à la bataille?
12. Par quoi Candide a-t-il été écœuré?
13. En quel état Pangloss était-il quand il a retrouvé Candide?
14. Qu'est-ce que Pangloss a raconté à Candide au sujet du château et de ses habitants?
15. Durant la traversée, comment Pangloss essayait-il de consoler Candide?

16. Qu'est-ce qui est arrivé au vaisseau, près des côtes du Portugal?
17. Que déclarait Pangloss au sujet du tremblement de terre de Lisbonne?
18. Qu'est-ce que les sages du pays ont fait, pour prévenir une nouvelle catastrophe?
19. Qu'est-ce que Candide se disait en son for intérieur, durant le tremblement de terre?
20. Quel pays mystérieux Candide et Cacambo ont-ils visité?
21. Comment les habitants d'Eldorado vivaient-ils?
22. Comment Candide a-t-il quitté ce pays?
23. Après avoir été dépouillés de leurs richesses, où Candide et Cacambo ont-ils voyagé?
24. Avec qui Candide s'est-il établi dans une métairie?
25. Qu'est-ce que Cunégonde était devenue?
26. Qu'est-ce que Martin pensait du monde?
27. Selon Martin, pourquoi l'homme est-il né?
28. Quels sont les trois grands maux que le travail éloigne de nous?
29. Selon Candide, que faut-il faire?

EXERCICES

1. (a) C'est *pour cette raison* qu'on le nommait Candide.
   (b) C'est *à cause de cela* qu'on le nommait Candide.
   A. C'est à cause de cela qu'il a été malade.
   B. ———

2. (a) Cunégonde *était âgée de* dix-sept ans.
   (b) Cunégonde *avait* dix-sept ans.
   A. Il entrera à l'université quand il aura dix-huit ans.
   B. ———

3. (a) Les nez, *affirmait-il,* ont été faits pour porter des lunettes.
   (b) Les nez, *prétendait-il,* ont été faits pour porter des lunettes.
   A. Il prétend que vous vous êtes trompé.
   B. ———

4. (a) *Le lendemain,* Candide s'arrêta à la porte d'un cabaret.
   (b) *Le jour suivant,* Candide s'arrêta à la porte d'un cabaret.
   A. Si vous n'êtes pas libre ce jour-là, venez donc le jour suivant.
   B. ———

5. (a) *Peu de temps après,* il rencontra un misérable.
   (b) *À quelque temps de là,* il rencontra un misérable.
   A. Cet accident était arrivé à quelque temps de là.
   B. ———

6. (a) *La plupart* des passagers furent engloutis par les vagues.
   (b) *La majorité* des passagers furent engloutis par les vagues.
   A. Aujourd'hui la majorité des voyageurs prennent l'avion.
   B. ———

7. (a) Il allait être, *à nouveau,* poursuivi.
   (b) Il allait être, *encore une fois,* poursuivi.
   A. J'aimerais entendre, encore une fois, cette jolie chanson.
   B. ———

8. (a) Candide *s'établit* dans une métairie.
   (b) Candide *s'installa* dans une métairie.
   A. Après avoir beaucoup voyagé, il s'est installé à New York.
   B. ———

9. (a) Pangloss était *au désespoir* de ne pas briller dans une université.
   (b) Pangloss était *désolé* de ne pas briller dans une université.
   A. J'ai été désolé d'apprendre cette mauvaise nouvelle.
   B. ———

Bien des gens / Beaucoup de personnes
ne connaissent Figaro que / connaissent seulement Figaro / ne connaissent pas Figaro autrement que
l'un. . . l'autre / celui-là. . . celui-ci
les plus vivants / qui donnent le mieux l'impression de la vie

il se trouve qu'il y a peu d'écrivains / précisément, on ne compte pas beaucoup d'écrivains / or, il n'existe qu'un petit nombre d'auteurs
ressemblent autant à / aient tant de traits semblables à ceux de / aient tellement de caractéristiques communes avec
a prêté à son héros / a attribué à son personnage principal
bon nombre de mésaventures / bien des événements fâcheux
esprit d'intrigue / penchant pour les machinations secrètes
goût de l'action / amour de l'action / besoin d'agir
fief / domaine noble
de très bonne heure / très tôt dans la vie / très jeune
se montra turbulent / manifesta un caractère pétulant
pour mettre fin aux débordements / afin d'arrêter les excès / dans le but de mettre un terme à la mauvaise conduite
chassa / renvoya / mit à la porte / jeta dehors
quelque temps / pendant un certain temps
l'enfant prodigue / [allusion au personnage de la parabole de l'Évangile]
au foyer paternel / chez ses parents
des conditions sévères posées / des obligations strictes imposées / des exigences rigoureuses dictées
s'engageait à / promettait de / donnait sa parole de
ne rien faire / ne jamais agir / ne commettre aucune action / ne se livrer à aucune activité
en rendre compte à / en avertir / le faire savoir à

Figaro

Bien des gens ne connaissent Figaro que par Mozart et par Rossini, les deux compositeurs qui, l'un dans *les Noces de Figaro,* l'autre dans *le Barbier de Séville,* ont mis en musique quelques aventures et quelques tribulations d'un des personnages les plus vivants et les plus joyeux de la littérature française. Le créateur de Figaro est un écrivain français du dix-huitième siècle, Pierre-Augustin Caron de Beaumarchais, auteur de comédies pleines de mouvement et de gaieté. Or, il se trouve qu'il y a peu d'écrivains qui ressemblent autant à l'un de leurs personnages, que Beaumarchais à Figaro. Celui que Gœthe appelait «l'aventurier français» a prêté à son héros sa bonne humeur, son esprit étincelant, son imagination fertile en ressources, ses idées, ses revendications, et bon nombre de mésaventures où le jetèrent sa vie trépidante, son esprit d'intrigue et son goût de l'action.

En 1732, naquit à Paris Pierre-Augustin Caron, qui ne s'appelait pas encore Beaumarchais. Ce nom de Beaumarchais, qu'il prit plus tard, était celui d'un petit fief trouvé dans un héritage. Il était le fils d'un horloger; de très bonne heure il se montra turbulent et indiscipliné, si bien que, pour mettre fin aux débordements de son fils, l'horloger le chassa quelque temps de chez lui. Quand l'enfant prodigue revint au foyer paternel, il acceptait des conditions sévères posées par son père: il s'engageait à ne rien faire, à ne rien vendre sans en rendre compte à son père; à cesser

souper en ville / dîner dehors / dîner hors de la maison
sortir le soir / quitter la maison le soir
les après-soupers / entre le dîner et le coucher

tint sa promesse / ne manqua pas à sa parole / respecta son engagement
comme l'a fait remarquer / selon les termes employés par / pour citer
était entièrement / se donnait tout entier / se consacrait corps et âme
à la chose / au travail / à l'entreprise
dont il s'occupait / qu'il faisait
apportait le même enthousiasme / montrait autant d'ardeur
De retour au foyer / Une fois rentré chez lui

en tirer profit / en profiter / y gagner de l'argent / en bénéficier
tenta de le supplanter / essaya de lui voler les bénéfices de son idée / tâcha de lui couper l'herbe sous le pied

le Mercure de France / publication hebdomadaire, fondée en 1672
un mémoire / une dissertation scientifique / un exposé des faits
lui donna gain de cause / décida en sa faveur
avait attiré l'attention de / avait excité la curiosité de / était venue aux oreilles de
Le roi s'intéressa au jeune horloger / Le jeune horloger inspira de l'intérêt au roi
jouait fort bien de la harpe / était très bon harpiste

Entre-temps / En attendant / Dans l'intervalle
fait la connaissance de / rencontré pour la première fois
à qui il rendit quelques services / auquel il avait été utile à plusieurs occasions / qu'il avait obligé à diverses reprises
prêta de l'argent / confia une somme d'argent, à charge de remboursement
venait d'être cédée / avait été récemment vendue
forma le projet de / conçut l'idée de
faire exploiter / rendre productive / faire valoir
étaient établies / résidaient / habitaient / demeuraient
forma le dessein / décida / se donna pour objectif / prit la détermination

sa double entreprise ne réussit pas / son double projet n'eut aucun succès / il ne put pas mener à bien son double plan / il échoua dans l'un et l'autre de ses desseins
se servir / faire usage
De retour / Quand il fut rentré / Une fois revenu
fut aux prises avec / eut à lutter contre / dut faire face à
était mort / était décédé / avait rendu le dernier soupir
laissé une créance sur sa succession / légué un titre de crédit, en héritage
l'accusait de faux / portait plainte contre lui en lui reprochant d'avoir falsifié des documents

de souper en ville et de sortir le soir. Il n'était autorisé à jouer de la flûte que les après-soupers. Enfin il promettait d'employer les talents que Dieu lui avait donnés à devenir célèbre dans sa profession, la belle profession d'horloger.

Le jeune homme tint sa promesse; comme l'a fait remarquer un de ses amis: «Dans toutes les circonstances de sa vie, il était entièrement à la chose dont il s'occupait.» Il apportait le même enthousiasme à tout ce qu'il entreprenait. De retour au foyer, il s'appliqua si bien à son travail, qu'il inventa un nouveau mécanisme d'horlogerie.

Il était sur le point d'en tirer profit, lorsqu'un concurrent malhonnête, à qui il avait confié sa découverte, tenta de le supplanter en le devançant. Beaumarchais écrivit alors un article retentissant dans le *Mercure de France* et envoya un mémoire à l'Académie des Sciences, qui lui donna gain de cause.

Cette affaire avait attiré l'attention de la cour. Le roi s'intéressa au jeune horloger. Beaumarchais fabriqua pour Madame de Pompadour une montre si petite qu'elle pouvait être portée en bague; et, comme il jouait fort bien de la harpe, il devint professeur de musique des filles du roi.

Entre-temps, il avait fait la connaissance d'un puissant financier, Pâris-Duverney, à qui il rendit quelques services. Celui-ci, pour le remercier, lui prêta de l'argent et l'associa à ses affaires. Comme la Louisiane venait d'être cédée à l'Espagne par la France, Beaumarchais forma le projet de faire exploiter cette colonie par une compagnie française. Il se rendit alors en Espagne, où étaient établies deux de ses sœurs. L'une d'elles avait été séduite puis abandonnée par un certain Clavijo. Beaumarchais forma le dessein de venger sa sœur et de forcer le suborneur à épouser la demoiselle.

Sa double entreprise ne réussit pas: Clavijo refusa d'épouser la sœur et le projet de colonisation échoua. Beaumarchais dut revenir précipitamment à Paris, mais il rapportait des notes et des souvenirs dont il allait se servir dans deux de ses comédies.

De retour à Paris, il fut bientôt aux prises avec de nouvelles difficultés: Pâris-Duverney était mort et lui avait laissé une créance sur sa succession. Or l'héritier l'accusait de faux. Il fallut plaider,

il eut affaire à un juge nommé Goëzman / c'est un magistrat du nom de Goëzman qui fut chargé de juger ce procès
Il perdit le procès / Le tribunal décida en faveur de son adversaire / Le jugement fut contre lui
les cadeaux qu'il avait faits / les présents qu'il avait faits / les choses qu'il avait données
d'ailleurs / du reste / en passant / incidemment
C'était la coutume, à l'époque / C'était l'usage d'alors / C'était normal à ce moment-là
fit appel à l'opinion publique / exhorta le public à juger et à exprimer son opinion / prit le public comme arbitre
ses mémoires furent condamnés au feu / son exposé des faits fut condamné à être brûlé
il eut pour lui tous les rieurs / grâce à sa verve ironique, une grande partie du public se mit de son côté / il se moqua si bien de son adversaire que beaucoup de personnes prirent son parti, parce qu'il les avait fait rire
À quelque temps de là / Un peu plus tard / Peu après
le roi le chargea d'une mission / le souverain lui confia une besogne délicate / le roi le choisit pour accomplir des démarches
il s'agissait / il était question de / cela consistait à
maître-chanteur / individu qui soutire de l'argent sous la menace d'un scandale
se tira très bien de / réussit brillamment / accomplit fort bien
régla la question / liquida l'affaire / arrangea les choses
il s'engagea dans l'affaire d'Amérique / il prit part à la guerre d'Indépendance des États-Unis
sous main / en cachette / secrètement
ministre des Affaires étrangères / homme d'État chargé des rapports internationaux
fit passer / fit parvenir / transmit
aux insurgés américains / aux troupes révolutionnaires des États-Unis
À la fois / En même temps / Simultanément
il avait alors à lui / il possédait à ce moment-là
un profiteur / celui qui cherche à tirer un profit abusif des efforts d'autrui
l'Ancien Régime / le gouvernement qui existait en France avant 1789 / la monarchie absolue
poursuivant toujours la fortune / sans cesse à la recherche du succès
pièces / œuvres dramatiques
relatent / rapportent / décrivent / racontent
il fut en butte à / il dut se défendre contre
il avait transcrit quelques airs / il avait arrangé quelques morceaux de musique
remaniée plusieurs fois / modifiée plus d'une fois
fut triomphalement accueillie / fut acclamée / obtint un succès éclatant
sa version définitive / sa forme finale

avec l'intention de l'épouser / dans le dessein de se marier avec elle

et Beaumarchais eut affaire à un juge nommé Goëzman. Il perdit le procès, malgré les cadeaux qu'il avait faits au juge, et à Madame Goëzman à qui il avait offert une montre ornée de diamants. C'était d'ailleurs la coutume, à l'époque. Beaumarchais fit appel à l'opinion publique, dans quatre mémoires où il accusait le juge de vénalité. Il fut blâmé et ses mémoires furent condamnés au feu, mais il mit dans ses pamphlets tant de verve et tant d'esprit, qu'il eut pour lui tous les rieurs, et presque tout le public.

À quelque temps de là, le roi le chargea d'une mission d'importance: il s'agissait d'aller à Londres, acheter un pamphlet contre Madame du Barry, dont l'auteur était un maître-chanteur professionnel. Beaumarchais se tira très bien de sa mission et régla la question avec succès.

Puis, après plusieurs autres missions de confiance et plusieurs voyages secrets, en Autriche et en Angleterre, il s'engagea dans l'affaire d'Amérique. Aidé sous main par le ministre des Affaires étrangères, Vergennes, il fit passer des armes et des munitions aux insurgés américains. À la fois armateur et munitionnaire, il avait alors à lui une flotte de quarante navires qui naviguaient sur les mers d'Amérique.

Exilé pendant la Révolution et suspecté d'avoir été profiteur de l'Ancien Régime, il ne revint qu'en 1796 en France, où il mourut, en 1799.

Entre tant d'intrigues et de soucis, poursuivant toujours la fortune, Beaumarchais trouva le temps d'écrire plusieurs pièces, mais surtout les deux célèbres comédies qui nous relatent les aventures de Figaro.

C'est en 1772 qu'il écrivit *le Barbier de Séville,* mais il fut en butte à tant de démêlés et d'attaques, qu'il ne réussit à faire jouer sa pièce que trois ans plus tard. Celle-ci n'était d'abord qu'un opéra-comique où il avait transcrit quelques airs espagnols qu'il avait rapportés de son voyage à Madrid. Puis, remaniée plusieurs fois, transformée en une comédie en quatre actes, elle fut triomphalement accueillie dans sa version définitive en février 1775.

Le Barbier est l'histoire d'une jeune fille, d'une orpheline, Rosine, que son vieux tuteur séquestre, avec l'intention de l'épouser. Le

est amoureux de / aime / est épris de
sa belle / celle qu'il courtise
son ancien valet / celui qui autrefois était à son service / son ex-domestique
toute sorte de / bon nombre de / bien des
triomphe / est vainqueur
grâce à / à cause de / sur l'intervention de
Au début de la pièce / Au commencement de la comédie / Au lever du rideau
leur dernière rencontre / la dernière fois qu'ils se sont vus
lui apprend / lui fait savoir
garçon pharmacien / commis dans une pharmacie / aide-pharmacien
il a été congédié / on l'a renvoyé / on l'a mis à la porte / il a été chassé
écrivait dans les journaux / était journaliste, chroniqueur ou reporter
a fait représenter / a fait jouer en public / a porté à la scène
Je me souviens / Je me rappelle
assez mauvais sujet / un viveur / un libertin
Aux vertus qu'on exige dans un domestique / Si l'on considère les qualités requises d'un serviteur
Votre Excellence connaît-elle? / Monsieur le Comte connaît-il? / Monseigneur connaît-il? / connaissez-vous?
éclate de rire / rit très fort / rit soudain sans retenue
mon bon ange / mon ange gardien
je suis assez heureux pour / j'ai la chance de / j'ai le bonheur de
la république des lettres / les écrivains / les gens de lettres
celle des loups / un groupe dont les membres se déchirent les uns les autres
toujours armés les uns contre les autres / sans cesse en guerre entre eux / dans une ambiance continuellement hostile
tout ce qui s'attache à la peau / tous les insectes et tous les hommes, qui attaquent et harcèlent / tous les parasites
gens de lettres / écrivains / auteurs
le peu de substance qui leur restait / la petite quantité de force qu'ils avaient encore
ennuyé de moi / lassé de ma propre personne
abîmé de dettes / endetté jusqu'au cou
léger d'argent / presque sans le sou / à court de fonds
l'utile revenu du rasoir / ce que me rapporte mon métier de barbier / les rémunérations gagnées par un coiffeur
les vains honneurs de la plume / la gloire illusoire du métier d'écrivain
mon bagage en sautoir / mes possessions sur le dos
supérieur aux événements / subissant avec courage tout ce qui m'arrivait
par ceux-ci. . . par ceux-là / par certains. . . par d'autres
aidant au bon temps / profitant de mon mieux des conditions favorables
supportant le mauvais / acceptant les coups du sort / résigné à la mauvaise fortune
faisant la barbe à tout le monde / rasant les hommes et aussi dupant tout le monde

jeune et charmant Comte Almaviva, récemment arrivé à Séville, est amoureux de Rosine; il est en train de chanter sous les fenêtres de sa belle, lorsqu'il rencontre Figaro, son ancien valet, qui est devenu barbier, et qui va mettre au service du comte son esprit inventif. Après toute sorte de péripéties, de déguisements, l'amour triomphe et les amoureux se marient grâce à l'ingéniosité de Figaro.

Au début de la pièce, dès que le comte a reconnu son ancien valet, il lui demande ce qu'il est devenu, depuis leur dernière rencontre. Figaro lui apprend qu'il a été garçon pharmacien et qu'il vendait parfois à des hommes des remèdes de vétérinaire; puis qu'il a été congédié par un ministre quand celui-ci a su qu'il écrivait dans les journaux, et qu'il a même fait représenter une pièce de théâtre.

—Tu ne me dis pas tout, remarque le comte. Je me souviens qu'à mon service tu étais assez mauvais sujet.

À quoi Figaro réplique:

—Aux vertus qu'on exige dans un domestique, Votre Excellence connaît-elle beaucoup de maîtres qui fussent dignes d'être valets?

Le comte éclate de rire, puis il lui demande ce qui lui a fait quitter Madrid; Figaro le lui explique:

—C'est mon bon ange, Excellence, puisque je suis assez heureux pour retrouver mon ancien maître. Voyant à Madrid que la république des lettres était celle des loups, toujours armés les uns contre les autres, et que tous les insectes, les moustiques, les cousins, les critiques, les envieux, les journalistes, les libraires, les censeurs, et tout ce qui s'attache à la peau des malheureux gens de lettres, achevait de déchiqueter et de sucer le peu de substance qui leur restait; fatigué d'écrire, ennuyé de moi, dégoûté des autres, abîmé de dettes et léger d'argent; à la fin convaincu que l'utile revenu du rasoir est préférable aux vains honneurs de la plume, j'ai quitté Madrid; et, mon bagage en sautoir, parcourant philosophiquement les deux Castilles, la Manche, l'Estrémadure, la Sierra-Morena, l'Andalousie; accueilli dans une ville, emprisonné dans l'autre, et partout supérieur aux événements; loué par ceux-ci, blâmé par ceux-là; aidant au bon temps, supportant le mauvais, me moquant des sots, bravant les méchants, riant de ma misère et faisant la barbe à tout le monde, vous me voyez enfin établi dans

en tout ce qu'il lui plaira / comme il voudra

L'habitude du malheur / L'adversité continuelle
Je me presse / Je me dépêche / Je me hâte

un valet qui sert son maître / un domestique qui obéit consciencieusement à son maître / un serviteur qui veille aux intérêts de son maître
un homme de talent / un homme qui a des dons naturels
le profit / le gain / de l'argent
la joie d'agir / le plaisir de faire quelque chose
un homme sensible / une personne qui a de nobles sentiments / une âme généreuse
rapprocher les amoureux / favoriser la réunion des amoureux

il n'est plus question / il ne s'agit plus

un barbon ridicule / un vieillard grotesque

voudrait la suborner / cherche à la séduire

monter une conjuration / organiser un complot
un homme du peuple / un homme de la classe la moins riche / un prolétaire / quelqu'un de la classe ouvrière
attaque les institutions / critique le régime établi / se révolte contre la monarchie
se fait le défenseur de / défend / prend le parti de
Pensant mélancoliquement / Songeant tristement
enlever / ravir / prendre / voler
s'écrie / dit avec force / s'exclame
grand seigneur / aristocrate / noble
vous vous croyez un grand génie / vous vous imaginez que vous savez tout / vous pensez que vous avez tous les talents
tout cela rend si fier! / toutes ces choses inspirent tant d'orgueil!
Vous vous êtes donné la peine de naître / Tout ce que vous avez eu à faire, c'est de venir au monde
rien de plus / pas autre chose / c'est tout
sont l'écho / répètent / propagent / reflètent
les gens du peuple / la masse des paysans, ouvriers et artisans / les petites gens
à la veille de / peu de temps avant

Séville et prêt à servir de nouveau Votre Excellence en tout ce qu'il lui plaira m'ordonner.

—Qui t'a donné une philosophie aussi gaie? lui demande le comte.

Et Figaro répond, pour conclure:

—L'habitude du malheur. Je me presse de rire de tout, de peur d'être obligé d'en pleurer.

Mais le barbier de Séville n'est pas seulement un valet qui sert son maître, c'est aussi un homme de talent, à l'esprit amusant et frondeur, qui entreprend toute sorte de métiers pour le profit et pour la joie d'agir; c'est aussi un homme sensible, heureux de rapprocher les amoureux et de les défendre contre la tyrannie d'un vieux tuteur.

Quelques années plus tard, en 1784, dans *le Mariage de Figaro*, nous allons retrouver notre héros un peu changé; il n'est plus simplement question de tromper un barbon ridicule; il s'agit, pour Figaro, de défendre sa femme contre un seigneur égoïste qui voudrait la suborner. Si le malin barbier nous amuse toujours de sa verve, de son brio, de toutes ses plaisanteries contre les médecins, les mauvais juges, les censeurs, les privilégiés, les hypocrites, il lutte cette fois pour défendre son bonheur menacé.

Son esprit fertile va monter une conjuration contre le comte, et celui-ci sera vaincu et confondu. Cette fois, c'est le valet qui triomphe de son maître, aux applaudissements des spectateurs; c'est un homme du peuple qui attaque les institutions et le régime. Il se fait le défenseur de la liberté contre le despotisme, et de l'égalité contre les privilèges.

Pensant mélancoliquement à la femme qu'il aime et que le comte essaie de lui enlever, Figaro s'écrie:

—Non, monsieur le Comte, vous ne l'aurez pas. . . vous ne l'aurez pas. Parce que vous êtes un grand seigneur, vous vous croyez un grand génie!. . . noblesse, fortune, un rang, des places, tout cela rend si fier! Qu'avez-vous fait pour tant de biens? Vous vous êtes donné la peine de naître, et rien de plus. . .

Et Figaro, opposant la condition de ce grand seigneur à la sienne, exprime des doléances, et des revendications qui sont l'écho de celles des gens du peuple à la veille de la Révolution française.

Questionnaire

1. Qui est le créateur de Figaro?
2. Quel genre de personnage est Figaro?
3. Quels traits caractéristiques Beaumarchais prête-t-il à son héros?
4. D'où venait le nom de Beaumarchais pris par Caron?
5. Quel métier exerçait le père de l'auteur de «Figaro»?
6. Qu'est-ce que le jeune horloger avait inventé?
7. De qui Beaumarchais est-il devenu professeur de musique?
8. Où le roi avait-il envoyé Beaumarchais en mission de confiance?
9. Entre les intrigues et les soucis, qu'est-ce que Beaumarchais avait trouvé le temps de faire?
10. Quels sont les principaux personnages de la comédie *le Barbier de Séville?*
11. Lorsque le comte demande à Figaro ce qu'il est devenu depuis leur dernière rencontre, que répond ce dernier?
12. Que dit Figaro de la «république des lettres» à Madrid?
13. Quelles parties de l'Espagne Figaro avait-il parcourues avec son bagage en sautoir?
14. Qu'est-ce qui a donné une philosophie gaie à Figaro?
15. En quelle année *le Mariage de Figaro* a-t-il été présenté au public?
16. Comment le malin barbier nous amuse-t-il toujours?
17. Qu'est-ce que cet homme du peuple attaque?
18. De quoi Figaro se fait-il le défenseur?
19. Que s'écrie Figaro quand le comte essaye de lui enlever sa femme?
20. En résumé, de quelles doléances et revendications les paroles de Figaro se font-elles l'écho?

EXERCICES

1. (a) Il *s'engageait à* ne rien faire.
   (b) Il *promettait de* ne rien faire.
   A. J'ai promis de lui venir en aide.
   B. ———

2. (a) Il *avait fait la connaissance d'*un puissant financier.
   (b) Il *avait rencontré pour la première fois* un puissant financier.
   A. J'ai rencontré pour la première fois mon ami Jim sur le campus.
   B. ———

3. (a) *De* très *bonne heure,* il se montra turbulent.
   (b) Très *tôt,* il se montra turbulent.
   A. Ce soir, je rentrerai probablement d'assez bonne heure.
   B. ———

4. (a) *Il s'agissait* d'aller à Londres.
   (b) *Il était question* d'aller à Londres.
   A. Il est question de bien répondre.
   B. ———

5. (a) Il était, *à la fois,* armateur et munitionnaire.
   (b) Il était, *en même temps,* armateur et munitionnaire.
   A. Robert a remporté en même temps le prix d'histoire et le prix d'excellence.
   B. ———

6. (a) Je *me souviens* que tu étais un assez mauvais sujet.
   (b) Je *me rappelle* que tu étais un assez mauvais sujet.
   A. Nous nous sommes rappelé que vous alliez venir.
   B. ———

7. (a) Je *me presse* de rire de tout.
   (b) Je *me dépêche* de rire de tout.
   A. Il allait pleuvoir: il s'est dépêché de rentrer chez lui.
   B. ———

une trentaine de kilomètres de Rouen / une distance d'environ 30 kilomètres de la ville de Rouen
confins / limites / frontières
semé de fermes / dans lequel on voit des fermes un peu partout
les toits de chaume s'aperçoivent / on peut voir les toits de chaume
par-dessus les haies / au-dessus des clôtures d'arbustes
Il y a un peu plus de cent ans / Voilà plus d'un siècle / Cela fait cent ans et plus
se déroulèrent / eurent lieu
une bourgade paresseuse / un village endormi / une petite commune où la vie semble aller au ralenti
À l'entrée du village / Quand on arrivait dans le village / En bordure de la commune
à chaque bout / des deux côtés
la grande place / le large espace découvert / le carrefour principal du village
c'est-à-dire / en d'autres termes
une vingtaine de / environ vingt
un coq gaulois / emblème de la République française
les balances de la justice / symbole de la justice

Madame Bovary

I

Yonville-l'Abbaye (ainsi nommé à cause d'une ancienne abbaye de Capucins dont les ruines n'existent plus) est un village situé à une trentaine de kilomètres de Rouen, aux confins de la Normandie, de la Picardie et de l'Île-de-France. C'est un pays d'herbages et d'élevage, semé de fermes dont les toits de chaume s'aperçoivent par-dessus les haies, entre les bouquets d'arbres.

Il y a un peu plus de cent ans, à l'époque où se déroulèrent les événements que Flaubert nous a racontés, Yonville-l'Abbaye était une bourgade tranquille, paresseuse, allongée au bord d'une petite rivière.

À l'entrée du village, apparaissait une maison blanche, avec deux vases de fonte à chaque bout du perron; c'était la maison du notaire, la plus belle du pays.

Un peu plus loin, sur la grande place, s'élevaient l'église, entourée d'un étroit cimetière, les halles, c'est-à-dire un toit de tuiles supporté par une vingtaine de poteaux, et la mairie, au fronton de laquelle était sculpté un coq gaulois tenant dans une de ses pattes les balances de la justice.

attirait le plus les yeux / appelait avant tout l'attention

placardée d'inscriptions / couverte d'annonces
Eau de Vichy / Eau minérale gazeuse, de la grande station thermale de Vichy
Pâtes / Pommades / Crèmes de beauté
tenait toute la largeur / s'étalait d'un bout à l'autre

s'arrêtait court / n'allait pas plus loin / finissait brusquement

vers six heures / aux environs de six heures / à six heures approximativement
une grande activité régnait / il y avait un va-et-vient continuel
jour de marché / jour où les paysans apportaient leurs produits, pour les vendre sur la place

suait à grosses gouttes / transpirait à profusion
en remuant ses casseroles / en faisant la cuisine / en préparant le repas
la grande salle / la pièce qui servait de salon et de salle à manger
se chauffait le dos / avait le dos tourné vers le feu pour se chauffer
n'exprimait rien que / montrait seulement
le clerc de notaire / l'employé dans l'étude du notaire
en descendirent / sortirent de là
ils furent accueillis / on les reçut
d'un air cordial / avec amabilité / avec des marques d'amitié
s'ennuyait mortellement à Yonville / n'aimait pas du tout habiter à Yonville / trouvait l'existence à Yonville horriblement monotone
en la compagnie des nouveaux venus / avec ceux qui venaient d'arriver
venaient de quitter Tostes / avaient récemment déménagé de la petite ville de Tostes
ils séjournaient depuis quatre ans / ils avaient demeuré pendant quatre ans
le docteur commençait à y bien réussir / le médecin avait déjà, là-bas, une bonne réputation et une assez nombreuse clientèle
s'y fixer / s'y établir d'une façon permanente
avait pris Tostes et ses habitants en grippe / ne pouvait supporter ni Tostes ni ses habitants / détestait la ville et la population
se trouvait horriblement malheureuse / croyait être bien à plaindre
se plaignait de tout / trouvait à redire à tout / disait du mal de tout / n'était satisfaite de rien
pour un rien / sans motif sérieux / sans raison valable

Mais ce qui attirait le plus les yeux, en face de l'auberge du *Lion d'Or,* c'était la pharmacie de Monsieur Homais. Le soir, principalement, quand sa lampe était allumée et que brillaient les bocaux rouges et verts qui embellissaient sa devanture, on entrevoyait l'ombre du pharmacien accoudé à son pupitre. La façade de sa maison était placardée d'inscriptions: «Eau de Vichy... Pastilles... Pâtes... Bandages... Bains...» Et l'enseigne qui tenait toute la largeur de la boutique, portait en lettres d'or: *Homais, pharmacien.*

Il n'y avait ensuite plus rien à voir dans Yonville. L'unique rue du village, ornée de quelques boutiques, s'arrêtait court au tournant de la route.

II

Ce soir-là, vers six heures, une grande activité régnait à l'auberge du *Lion d'Or*: le lendemain, c'était jour de marché et aussi on attendait l'arrivée de la diligence *l'Hirondelle* qui devait amener à Yonville le nouveau médecin, Charles Bovary, accompagné de sa femme. Madame Lefrançois, la maîtresse de l'auberge, était si affairée qu'elle suait à grosses gouttes en remuant ses casseroles. Dans la grande salle, Monsieur Homais, le pharmacien, se chauffait le dos contre la cheminée; sa figure n'exprimait rien que la satisfaction de lui-même. Quelques pensionnaires, Monsieur Binet, le percepteur, et Monsieur Léon Dupuis, le clerc de notaire, entrèrent pour dîner.

À ce moment-là, on distingua le bruit d'une voiture, et *l'Hirondelle* s'arrêta devant la porte. Le médecin et sa femme, Emma Bovary, en descendirent et furent accueillis, d'un air cordial, par Monsieur Homais et aussi par le jeune clerc de notaire, qui s'ennuyait mortellement à Yonville et qui avait accepté avec empressement la proposition de l'hôtesse de dîner en la compagnie des nouveaux venus.

Les Bovary venaient de quitter la petite ville de Tostes où ils séjournaient depuis quatre ans: le docteur commençait à y bien réussir et aurait souhaité s'y fixer, mais Madame Bovary avait pris Tostes et ses habitants en grippe; elle se trouvait horriblement malheureuse, se plaignait de tout; elle pâlissait pour un rien; elle

avait des battements de cœur / éprouvait des palpitations
à tel point que / tellement que

on devait la changer d'air / il fallait lui faire quitter la région
s'établir à / s'installer à / aller demeurer à

faire d'elle une demoiselle / qu'elle devienne une jeune fille distinguée
avait fait ses études / avait été en pension
s'était exaltée / s'était passionnée
auxquels elle s'identifiait / à la place desquels elle se mettait

proposaient un idéal impossible à atteindre / offraient un modèle de vie chimérique

postillons, qu'on tue à tous les relais / cochers qui sont assassinés à chaque auberge où on s'arrêtait pour changer de chevaux

troubles du cœur / angoisses sentimentales / émois causés par l'amour

vertueux comme on ne l'est pas / d'une conduite angélique / incroyablement chastes
toujours bien mis / habillés avec élégance, en toute occasion
pleurent comme des urnes / versent toutes les larmes de leurs corps / sanglotent abondamment
avait pris la campagne en dégoût / s'était mise à haïr la campagne
avait fait la connaissance de Charles / avait vu Charles et lui avait parlé pour la première fois
soigner son père / donner des soins à son père / traiter son père
goûter le bonheur tel que / se sentir heureuse comme / jouir de la vie ainsi que
un brave garçon / un bon jeune homme
sans fantaisie / dénué de toute imagination
La conversation de Charles était plate comme un trottoir de rue / Charles n'avait rien à dire et sa façon de s'exprimer était banale / Charles s'exprimait par lieux communs
les idées de tout le monde / des banalités / des idées ordinaires / des platitudes
été curieux / eu envie
d'aller voir au théâtre les acteurs / d'aller au théâtre pour regarder et entendre les acteurs
Il ne savait ni nager, ni faire des armes, ni tirer le pistolet / Il ne nageait pas; il ne faisait pas non plus d'escrime; il ne savait pas davantage tirer au revolver

avait des battements de cœur; tout semblait l'irriter, à tel point que son mari, inquiet, l'avait emmenée consulter un grand médecin de Rouen. Celui-ci avait déclaré que Madame Bovary souffrait d'une maladie nerveuse et que l'on devait la changer d'air. C'est pourquoi 5 le docteur Bovary s'était décidé à déménager et à s'établir à Yonville, où les conditions semblaient favorables.

III

Emma Bovary était la fille d'un cultivateur aisé, qui l'avait gâtée et avait voulu faire d'elle une demoiselle. Au couvent, à Rouen, où elle avait fait ses études, son imagination s'était exaltée 10 à la lecture des aventures des héros romantiques, auxquels elle s'identifiait et qui l'aidaient à échapper à la médiocrité de la vie ordinaire, mais qui lui proposaient un idéal impossible à atteindre. «Ce n'étaient qu'amours, amants, amantes, dames persécutées s'évanouissant dans des pavillons solitaires, postillons qu'on tue à 15 tous les relais, chevaux qu'on crève à toutes les pages, forêts sombres, troubles du cœur, serments, sanglots, larmes et baisers, nacelles au clair de lune, rossignols dans les bosquets, messieurs braves comme des lions, doux comme des agneaux, vertueux comme on ne l'est pas, toujours bien mis, et qui pleurent comme 20 des urnes.»

À son retour du couvent, elle avait pris la campagne en dégoût et, quand elle avait fait la connaissance de Charles, qui était venu à la ferme soigner son père, elle avait cru qu'elle allait enfin, en l'épousant, goûter le bonheur tel qu'elle l'avait rêvé.

25 Mais Charles, son mari, ne ressemblait pas aux héros des romans de Walter Scott: c'était un brave garçon, affectueux, honnête, mais lourd, épais, sans élégance et sans fantaisie, qui avait profondément déçu cette femme capricieuse et romanesque. «La conversation de Charles était plate comme un trottoir de rue, et 30 les idées de tout le monde y défilaient dans leur costume ordinaire, sans exciter d'émotion, de rire, ou de rêverie. Il n'avait jamais été curieux, disait-il, pendant qu'il habitait Rouen, d'aller voir au théâtre les acteurs de Paris. Il ne savait ni nager, ni faire des armes, ni tirer le pistolet, et il ne put, un jour, lui expliquer un terme 35 qu'elle avait rencontré dans un roman.»

exceller en des activités multiples / être habile à toute sorte de sports

Il la croyait heureuse / Il s'imaginait qu'elle menait l'existence qu'elle avait souhaitée
lui en voulait / était irritée contre lui / le tenait pour responsable
ce calme si bien assis / son contentement inébranlable / sa sérénité à toute épreuve
du bonheur / de la félicité
À la ville / En ville / À Rouen

où le cœur se dilate / qui font que le cœur se remplit d'un sentiment de bonheur intense
comme un grenier dont la lucarne est au nord / comparable à un lieu solitaire et sans soleil / abandonnée et sans joie
araignée silencieuse [*ici:* symbole de l'ennui]
filait sa toile / sécrétait son fil

dut bientôt rabattre de ses prétentions et de ses espérances / fut rapidement obligée de réduire ses exigences et ses espoirs

aucun n'avait la moindre soif / pas un ne ressentait le besoin

ne s'intéressait le moins du monde à / n'avait pas la moindre envie de s'extasier devant / ne pensait nullement à

Sans aucun doute / Bien entendu / Assurément
Mme Bovary aurait pu / il lui aurait été possible de
par tous les moyens / coûte que coûte / à tout prix

elle aurait pu se consacrer à / il lui aurait été facile de donner tout son temps à

elle aurait dû seconder son mari / il aurait fallu qu'elle ajoute ses efforts à ceux de son époux
du matin au soir / toute la journée
parcourait la campagne / allait de village en village / traversait la région dans tous les sens
ne songeait qu'à échapper à la réalité / passait son temps à rêvasser
en tirer loyalement le meilleur parti possible / s'accommoder le mieux possible des exigences de la vie

s'était trompée / avait fait une erreur de jugement

«Un homme, au contraire, ne devait-il pas tout connaître, exceller en des activités multiples, vous initier aux énergies de la passion, aux raffinements de la vie, à tous les mystères? Mais il n'enseignait rien, celui-là, ne savait rien, ne souhaitait rien. Il la
5 croyait heureuse; et elle lui en voulait de ce calme si bien assis, de cette pesanteur sereine, du bonheur même qu'elle lui donnait.»

Madame Bovary pensait souvent à ses anciennes camarades de couvent: «Que faisaient-elles maintenant? À la ville, avec le bruit des rues, le bourdonnement des théâtres et les clartés du bal, elles
10 avaient des existences où le cœur se dilate, où les sens s'épanouissent. Mais elle, sa vie était froide comme un grenier dont la lucarne est au nord, et l'ennui, araignée silencieuse, filait sa toile dans l'ombre à tous les coins de son cœur.»

IV

Le soir de son arrivée à Yonville, Madame Bovary espérait que
15 cette nouvelle résidence allait enfin lui apporter la réalisation de ses rêves. Mais elle dut bientôt rabattre de ses prétentions et de ses espérances. Les habitants d'Yonville étaient comme ceux de Tostes, médiocres, insignifiants, nuls: aucun n'avait la moindre soif de cet idéal que poursuivait Emma, et ne s'intéressait le moins
20 du monde à la littérature, aux voyages, à la musique, aux aventures du cœur. Sans aucun doute, Madame Bovary aurait pu trouver le bonheur dans ce village normand, si, au lieu de tâcher, par tous les moyens, de réaliser son rêve, elle avait essayé de vivre et d'aimer la vie telle qu'elle se présentait; au lieu d'imaginer des promenades
25 en gondole à Venise, ou des chevauchées dans les oasis, elle aurait pu se consacrer à sa fille, la petite Berthe, qu'elle négligeait; elle aurait pu, elle aurait dû, seconder son mari, qui s'efforçait consciencieusement de réussir et qui, du matin au soir, parcourait la campagne pour soigner ses malades. Emma, égoïste et sotte comme
30 le sont presque toujours les enfants gâtés, ne songeait au contraire qu'à échapper à la réalité au lieu d'en tirer loyalement le meilleur parti possible.

Son imagination ayant été empoisonnée par les lectures romanesques, elle se disait qu'elle s'était trompée en épousant Charles
35 et, comme elle l'avait lu dans les romans pendant les années de cou-

se présente à elle / lui arrive

n'éprouve pour elle / ne ressent à son égard

il la trouve jolie / il pense qu'elle a du charme / elle lui plaît

Il y réussit sans peine / Il arrive facilement à ses fins

lui joue la comédie de la passion / feint de ressentir un grand amour pour elle / fait semblant de l'aimer passionnément

le Comice agricole / la réunion des propriétaires et des fermiers de la région

retentissent sur l'estrade / sont prononcés d'une voix puissante, à la tribune

murmure à l'oreille de / dit tout bas à

je m'enfonce dans une tristesse / je sombre dans la mélancolie

le masque railleur / l'expression blasée

mettre sur son visage / donner à sa figure

s'est demandé bien des fois / s'est souvent posé la question

s'il ne ferait pas mieux d'aller / s'il ne serait pas préférable qu'il aille

Si j'avais eu un but / Si je m'étais fixé un objectif

il se rencontre un jour / on le trouve soudain un beau jour

tout à coup / soudainement

les horizons s'entrouvrent / l'avenir vous apparaît radieux

Vous sentez le besoin / Vous avez envie / On ressent l'impérieuse nécessité

faire la confidence de votre vie / révéler tout ce qui vous concerne / livrer tous vos secrets

se laisse prendre à / tombe dans le piège de / est dupe de

se figure / croit / imagine

a enfin mis sur sa route / lui a finalement fait rencontrer

n'en pouvant plus / à bout de forces

propose / offre

venir la chercher / passer la prendre chez elle

comme dans les romans / ainsi que cela se fait dans les livres

vent, elle attendait l'amant idéal, occupée à regarder venir du fond de la campagne «un cavalier à plume blanche qui galope sur un cheval noir.»

Malheureusement, cet amour romanesque qu'elle appelle se présente à elle sous la forme de Monsieur Rodolphe Boulanger, espèce de Don Juan de village, riche, oisif, brutal, qui n'éprouve pour elle ni estime, ni tendresse, mais qui la trouve simplement jolie et qui décide cyniquement de la séduire. Il y réussit sans peine, car il est perspicace et il lui joue adroitement la comédie de la passion. Pendant que se tient le Comice agricole d'Yonville, au millieu des vaches, des veaux, des cochons, au bruit des discours pompeux et ridicules qui retentissent sur l'estrade où l'on récompense les cultivateurs lauréats et les domestiques de ferme, Rodolphe murmure galamment à l'oreille de Madame Bovary les paroles qu'elle entendait autrefois, quand elle lisait ses romans favoris: «Ah, lui dit-il, je m'enfonce dans une tristesse!. . .» Et il lui confie que malgré cette apparence de gaieté, malgré le masque railleur qu'il sait mettre sur son visage, il s'est demandé bien des fois, au clair de lune, à la vue d'un cimetière, s'il ne ferait pas mieux d'aller rejoindre ceux qui y dorment. . . Il lui parle de sa solitude:

—Ah! s'écrie-t-il, toujours seul! Si j'avais eu un but dans la vie. . . si j'avais trouvé le bonheur. . . Mais il se rencontre un jour, un jour tout à coup, et quand on désespérait. Alors les horizons s'entrouvrent, c'est comme une voix qui crie: «Le voilà!» Vous sentez le besoin de faire à cette personne la confidence de votre vie, de lui tout donner, de lui sacrifier tout. . .

La pauvre Emma se laisse prendre à ces grimaces et à ces mensonges; elle se figure que le hasard, un heureux hasard, a enfin mis sur sa route l'homme beau, distingué, spirituel qu'elle aurait dû rencontrer et épouser. Pendant les premiers mois de leur liaison, Emma s'exalte à tel point qu'un beau jour, n'en pouvant plus et complètement trompée par la comédie que lui joue ce Don Juan de village, elle lui propose de fuir avec elle et d'aller vivre ensemble une vie passionnée dans un pays lointain.

Mais, au lieu de venir la chercher et de l'enlever, —comme dans les romans,— Rodolphe l'abandonne lâchement, refuse de partir et

de rupture / lui annonçant que tout est fini entre eux
les bonnes et nobles raisons / les prétextes qu'il invoque / les motifs qu'il allègue
ne pas faire son malheur à elle / éviter de la faire souffrir / ne pas briser sa vie
a changé d'avis / a modifié sa décision / s'est ravisé
au dernier moment / à la dernière minute
elle tombe gravement malade / sa santé devient mauvaise / elle devient très malade
manque devenir folle / est sur le point de perdre la raison
ce coup du sort / ce malheur / cette adversité
se résigner / en prendre son parti / se soumettre au destin
s'intéresse à / s'occupe attentivement de
s'entretient avec / a de longues conversations avec
donne l'impression de / semble
une bonne intention / un dessein bienveillant
l'ancien clerc / l'ex-employé / le commis d'autrefois
platonique / purement idéal
la grande ville / le séjour dans une grande ville / les occasions offertes par une grande ville
la fréquentation des / la vie dans la société des / les relations avec les
dégourdi / rendu plus hardi / libéré de ses complexes
lui ont fait perdre sa gaucherie / l'ont débarrassé de sa timidité
à son tour / lui aussi
arrive / réussit / parvient
ne s'est jamais remise de ses rêves / ne s'est jamais guérie de ses rêves / continue à se livrer à ses illusions
Pour la seconde fois / Encore une fois / Une deuxième fois
se lance dans une folle aventure / se jette dans une intrigue insensée
sous prétexte de prendre des leçons de piano / en faisant croire qu'elle va apprendre à jouer du piano
dépense sans compter / gaspille son argent / dissipe follement son argent
fait des dettes / s'endette / emprunte de l'argent
souscrit des billets à ordre / signe des reconnaissances de dettes
se trouve un beau jour / est finalement
acculée à la saisie par d'impitoyables créanciers / réduite à voir des créanciers implacables s'emparer légalement de ses meubles et de ses bijoux, pour se rembourser
encore une fois / de nouveau
de quelque côté qu'elle se tourne / partout où elle s'adresse / chez toutes les personnes auxquelles elle fait appel
se heurte à des refus / reçoit des réponses négatives / essuie des rebuffades
dont elle a besoin / qu'il lui faut
affronter la situation / faire face aux conditions critiques
cherche dans la mort une dernière évasion / se suicide pour échapper aux conséquences de ses fautes et à ses responsabilités / se tue pour ne plus avoir à faire face à la réalité
À son retour / Une fois rentrée chez elle

disparaît après lui avoir écrit une lettre de rupture où il lui explique les bonnes et nobles raisons de sa décision: c'est pour ne pas faire son malheur à elle, pour que plus tard elle ne regrette pas cette folie, qu'il a changé d'avis au dernier moment. Le coup est si rude pour la naïve Emma, qu'elle en tombe gravement malade et manque en devenir folle.

Pendant sa convalescence, elle essaie pourtant d'accepter ce coup du sort et paraît se résigner: elle s'intéresse à sa fille, à son mari, écoute les bavardages du pharmacien, s'entretient avec le curé d'Yonville. Elle donne même l'impression d'être guérie de ses rêves romanesques.

Un jour, dans une bonne intention, le pharmacien conseille à Charles, pour distraire sa femme, de l'emmener entendre au théâtre de Rouen un illustre ténor. Pendant l'entracte, les Bovary rencontrent l'ancien clerc de notaire, Monsieur Léon qui avait eu pour Emma un amour platonique et qui, trop timide, avait quitté Yonville sans oser se déclarer; mais il a beaucoup changé depuis; la grande ville, la fréquentation des femmes l'ont dégourdi et lui ont fait perdre sa gaucherie. Quand il revoit Madame Bovary, il regrette les occasions manquées autrefois à Yonville, et, comme Rodolphe, il décide à son tour de la séduire. Il y arrive rapidement, car la pauvre Emma, malgré la trahison de son premier amant et malgré ses désillusions, ne s'est jamais remise de ses rêves romantiques.

Pour la seconde fois, elle se lance dans une folle aventure; elle va rejoindre Léon à Rouen, chaque semaine, sous prétexte de prendre des leçons de piano. Elle accumule mensonges et tromperies. Elle dépense sans compter, fait des dettes, souscrit des billets à ordre, et se trouve, un beau jour, acculée à la saisie par d'impitoyables créanciers.

C'est, encore une fois, un réveil brutal. Elle fait la découverte de l'implacable réalité. Elle cherche à emprunter pour éviter à son mari la révélation de ses gaspillages, mais de quelque côté qu'elle se tourne, elle se heurte à des refus; ni Rodolphe, ni Léon ne consentent à lui prêter l'argent dont elle a besoin.

Abandonnée, désemparée, la malheureuse n'a pas le courage d'affronter la situation dont elle est responsable et cherche, dans la mort, une dernière évasion. À son retour à Yonville,

après avoir tenté une suprême démarche / ayant fait, en vain, tout son possible pour trouver une solution
sans se soucier de / sans s'inquiéter de / sans attacher d'importance à

deviendra ouvrière / travaillera dans une usine
Voilà l'histoire de / Telle est l'histoire de / C'est ainsi que vécut

quelle femme réelle il avait prise pour modèle / sur qui il s'était basé / qui avait été sa source d'inspiration
faire le portrait de / raconter la vie de / dépeindre le physique et le caractère de
Sans doute / Probablement / Selon toute apparence
se guérir de / se délivrer de / surmonter
avait-il voulu dire / il avait eu l'intention de dire / son objectif était de nous prouver
telle qu'elle est / comme elle est / dans toute sa réalité
plus ou moins / d'une manière ou d'une autre / dans une certaine mesure
disposition qu'a l'homme à se concevoir autre qu'il est / tendance humaine à s'imaginer différent de ce qu'on est vraiment
se mentir à lui-même / s'illusionner / se duper soi-même

Flaubert

après avoir tenté une suprême démarche, elle s'empoisonne. Elle meurt en égoïste, comme elle a toujours vécu, sans se soucier de son mari ni de sa fille: Charles mourra bientôt, de découragement et de désespoir, après avoir appris sa trahison; et sa fille, la petite Berthe, deviendra ouvrière dans une filature.

Voilà l'histoire de Madame Bovary, telle que nous l'a racontée Gustave Flaubert, le grand romancier normand. Comme quelqu'un lui demandait un jour quelle femme réelle il avait prise pour modèle, pour faire le portrait de Madame Bovary, l'écrivain répondit: «Madame Bovary, c'est moi.» Sans doute avait-il écrit ce livre pour se guérir de son romantisme juvénile, de ses déceptions et avait-il voulu dire que nous serions moins malheureux si nous acceptions de vivre la vie telle qu'elle est. En vérité, Madame Bovary est chacun de nous; et nous souffrons tous, plus ou moins, de ce que le philosophe français Jules de Gaultier a appelé le «bovarysme», cette disposition qu'a l'homme à se concevoir autre qu'il est, et à se mentir à lui-même.

Questionnaire

1. Dans quelle sorte de région se trouve le village d'Yonville-l'Abbaye?
2. Qu'est-ce qui apparaissait à l'entrée du village?
3. Que voyait-on au fronton de la mairie?
4. Quelles inscriptions pouvait-on voir à la façade de la pharmacie?
5. Qui la diligence devait-elle amener à Yonville ce soir-là, vers six heures?
6. Quelles personnes se trouvaient, à ce moment-là, dans la grande salle de l'auberge du *Lion d'Or?*
7. Comment et par qui le Dr Bovary et sa femme ont-ils été accueillis?
8. D'où venaient les Bovary?

9. Pourquoi le couple avait-il quitté Tostes?
10. Comment Madame Bovary se sentait-elle, à Tostes?
11. Qu'est-ce que le Dr Bovary a alors décidé de faire?
12. Qu'est-ce qui avait exalté l'imagination d'Emma?
13. En quoi consiste l'idéal romantique, selon la citation de Flaubert?
14. Comment Emma avait-elle fait la connaissance de Charles Bovary?
15. Quel genre d'homme était Charles?
16. Qu'est-ce qu'un homme devrait connaître, selon Emma?
17. Pourquoi Emma en voulait-elle à Charles?
18. Qu'est-ce qu'Emma croyait que ses anciennes camarades de couvent faisaient maintenant?
19. Qu'est-ce que Madame Bovary espérait trouver à Yonville?
20. Comment étaient les habitants d'Yonville?
21. Comment Mme Bovary aurait-elle pu trouver le bonheur dans ce village normand?
22. Comment son mari s'efforçait-il de réussir dans sa carrière?
23. À cause de son égoïsme et de sa sottise, à quoi Emma songeait-elle seulement?
24. Que pensait-elle de son mariage?
25. Qu'espérait-elle voir venir du fond de la campagne?
26. Qui était M. Rodolphe Boulanger?
27. Que murmure Rodolphe à l'oreille de Madame Bovary?
28. Qu'est-ce que Rodolphe s'écrie, en parlant de sa solitude?
29. Qui Mme Bovary se figure-t-elle que le hasard a mis sur sa route?
30. Qu'est-ce que la pauvre Emma propose un jour à ce Don Juan de village?
31. Comment Rodolphe répond-il à cette proposition?
32. Qu'arrive-t-il à Emma après sa rupture avec Rodolphe?
33. Que fait Emma pendant sa convalescence?
34. Qui Emma a-t-elle rencontré, un jour, au théâtre de Rouen?
35. Qu'est-ce qui a changé la personnalité de l'ancien clerc de notaire?
36. Pourquoi Léon arrive-t-il rapidement à séduire la pauvre Emma?
37. Quel prétexte donne-t-elle à M. Bovary pour aller rejoindre Léon chaque semaine?
38. Que fait Emma pour éviter à son mari la révélation de ses gaspillages?
39. Comment Mme Bovary meurt-elle?
40. Quelles semblent être les raisons pour lesquelles Flaubert a écrit *Madame Bovary*?
41. D'après Jules de Gaultier, qu'est-ce que le «bovarysme»?

EXERCICES

1. (a) Un village situé à *une trentaine de kilomètres* de Rouen.
   (b) Un village situé à *environ trente kilomètres* de Rouen.
   A. Je veux acheter environ quinze tomates.
   B. ———

2. (a) Elle pâlissait *pour un rien.*
   (b) Elle pâlissait *sans raison valable.*
   A. Il ne faut pas se mettre en colère sans raison valable.
   B. ———

3. (a) Tout l'irritait *à tel point* que son mari l'emmena chez le médecin.
   (b) Tout l'irritait *tellement* que son mari l'emmena chez le médecin.
   A. Il aime à tel point le golf qu'il y joue tous les dimanches.
   B. ———

4. (a) Il *ne* savait *ni* nager, *ni* faire des armes.
   (b) Il *ne* savait *pas* nager; il *ne* faisait *pas non plus* des armes.
   A. Je ne suis jamais allé à Rouen; je ne suis pas allé à Lyon non plus.
   B. ———

5. (a) Elle *lui en voulait* de son calme.
   (b) Elle *était irritée contre lui* de son calme.
   A. Si je refuse votre invitation, j'espère que vous ne serez pas irrité contre moi.
   B. ———

6. (a) *Sans aucun doute,* elle aurait pu trouver le bonheur.
   (b) Elle aurait *assurément* pu trouver le bonheur.
   A. Il viendra sans aucun doute nous accueillir à la gare.
   B. ———

7. (a) Elle *se figure* qu'elle a trouvé l'homme idéal.
   (b) Elle *s'imagine* qu'elle a trouvé l'homme idéal.
   A. Nous nous imaginions que nous réussirions.
   B. ———

8. (a) Il *arrive* rapidement à la séduire.
   (b) Il *réussit* rapidement à la séduire.
   A. J'ai réussi à lui parler.
   B. ———

La Tarasque

lui fait perdre le sens de la réalité / l'incline à l'exagération des faits et des événements / le pousse à dépasser la mesure
ne lui sont arrivées que / ont eu lieu seulement

les plus populaires / les mieux connus
a été créé par / est issu de l'imagination de

au bord / sur la rive

avait rendu visite à / était allé voir
si bien que / de telle façon que / de telle manière que / c'est pourquoi
une douzaine d'années plus tard / environ douze ans après
faire le portrait / décrire la personne
raconter les aventures / narrer les événements surprenants de la vie

Tartarin de Tarascon

En France, lorsqu'on parle d'un vantard, de quelqu'un dont l'imagination trop vive lui fait perdre le sens de la réalité et lui fait raconter des aventures qui ne lui sont arrivées que dans ses rêves, on s'écrie souvent: «Mais, c'est un Tartarin!» ou bien: «C'est
5 Tartarin de Tarascon!»

Tartarin est le nom d'un des personnages les plus populaires et les plus amusants de la littérature française, qui a été créé par Alphonse Daudet, le charmant romancier et conteur du dix-neuvième siècle.

10 Tarascon est une petite ville située au bord du Rhône, entre Marseille et Avignon, et devenue célèbre grâce au récit d'Alphonse Daudet. Aux environs de 1850, le fameux écrivain avait rendu visite à Tartarin et cette visite était restée pour lui inoubliable, si bien qu'il décida, une douzaine d'années plus tard, de faire le
15 portrait et de raconter les aventures de ce merveilleux Tarasconnais.

À cette époque / En ce temps-là

Du dehors / Vue de l'extérieur
avait un air très ordinaire / était d'apparence plutôt banale

rien que des plantes exotiques / la flore était exclusivement tropicale ou équatoriale
On se serait cru en pleine Afrique centrale / On aurait cru se trouver au beau milieu du centre de l'Afrique / On aurait pu s'imaginer être en plein cœur de l'Afrique
à dix mille lieues / très loin / à une très grande distance
bien entendu / évidemment / il va sans dire
de grandeur naturelle / de taille normale
n'étaient guère plus hauts que / ne dépassaient pas la taille
tenait à l'aise / avait assez de place
qui avaient l'honneur de / auxquels était conféré le privilège de / qui étaient admis à / qui obtenaient la faveur de
bien autre chose / tout à fait différent / encore plus curieux
tapissée / dont les murs étaient couverts
depuis en haut jusqu'en bas / du plafond au plancher

est-ce que je sais? / et quoi encore, je ne saurais vous le dire! / etc., etc.
sous le grand soleil / sous les rayons éblouissants du soleil
donner encore plus la chair de poule / effrayer bien davantage

récits de chasse / histoires d'aventures de chasse

en bras de chemise / en manches de chemise, parce qu'il avait ôté sa veste
avec une forte barbe courte / il avait la barbe épaisse, mais courte
brandissait / agitait en l'air
tout en lisant / pendant qu'il lisait
faisait une moue terrible / crispait le visage d'un air féroce / faisait une menaçante grimace
sa bonne figure / son visage sans méchanceté / sa face d'honnête homme

Au temps dont nous parlons / À l'époque qui nous intéresse
n'était pas encore / n'était pas devenu / n'avait pas acquis la réputation
tout le Midi / toute la région du sud de la France / toutes les régions méridionales de la France

À cette époque, Tartarin habitait une maison située sur le chemin d'Avignon: c'était une jolie petite villa, avec un jardin devant, des murs très blancs, des volets verts. Du dehors, la maison avait un air très ordinaire; mais tout changeait dès qu'on entrait dans le jardin. Il n'y avait probablement pas en Europe deux jardins comme celui-là: pas un arbre de Provence, ni une fleur du pays; rien que des plantes exotiques, des cocotiers, des bananiers, des palmiers, des cactus et même un baobab. On se serait cru en pleine Afrique centrale, à dix mille lieues de Tarascon. Toutes ces plantes, bien entendu, n'étaient pas de grandeur naturelle: ainsi les cocotiers n'étaient guère plus hauts que des betteraves et le baobab, arbre géant, tenait à l'aise dans un pot de réséda. Mais les Tarasconnais qui, le dimanche, avaient l'honneur de contempler le baobab, rentraient chez eux pleins d'admiration.

Quand on entrait dans le cabinet de travail du héros, c'était bien autre chose: ce cabinet était une des curiosités de la ville. Imaginez une grande salle tapissée de fusils et de sabres, depuis en haut jusqu'en bas, toutes les armes de tous les pays du monde: carabines, rifles, couteaux corses, couteaux catalans, flèches caraïbes, massues hottentotes, lassos mexicains, est-ce que je sais? Et tous ces objets terrifiants luisaient sous le grand soleil de Tarascon, comme pour vous donner encore plus la chair de poule.

Au milieu du cabinet, il y avait un guéridon; sur le guéridon un flacon de rhum, les voyages du Capitaine Cook, les romans de Fenimore Cooper, des récits de chasse, chasse à l'ours, chasse à l'éléphant, etc. . . . Enfin, devant le guéridon, un homme était assis, de quarante à quarante-cinq ans, petit, gros, rougeaud, en bras de chemise, avec une forte barbe courte et des yeux flamboyants; d'une main, il tenait un livre, de l'autre il brandissait une énorme pipe, et tout en lisant quelque formidable récit de chasseurs, il faisait une moue terrible, qui donnait à sa bonne figure un air de férocité un peu comique.

Cet homme, c'était Tartarin, l'intrépide, le grand, l'incomparable Tartarin de Tarascon.

Au temps dont nous parlons, Tartarin de Tarascon n'était pas encore le Tartarin qu'il est aujourd'hui, le grand Tartarin de Tarascon, si populaire dans tout le Midi de la France. Pourtant, même

tout le monde est / chacun est / tous sont / la plupart des Tarasconnais sont
du plus grand au plus petit / du plus humble au plus important / les vieux comme les jeunes
organisait des battues / battait les buissons pour en faire sortir / partait en chasse contre
la Tarasque / l'animal fabuleux qui vivait sur les rives du Rhône
Vous voyez / Vous vous rendez compte / Ceci vous indique / Vous pouvez en conclure
il y a beau jour / ça se passait il y a bien longtemps / ce n'est pas d'hier
tous les dimanches matin / le dimanche, avant midi / chaque dimanche, dans la matinée
prend les armes / se met sur le pied de guerre / emporte fusils et munitions
sort de ses murs / quitte la ville
Par malheur / Malheureusement / Hélas
À la longue / Avec le temps / Progressivement
les bêtes ont fini par se méfier / les animaux en sont arrivés à se tenir sur leurs gardes / le gibier s'est enfin rendu compte du risque
oiseaux de passage / oiseaux migrateurs
de loin / d'une grande distance
font un détour pour / changent de direction afin de / prennent un chemin plus long, dans l'intention de
En fait de / Comme / Ce qui tient lieu de
il ne reste plus qu'un / il y a seulement un / on ne compte qu'un seul
comme par miracle / miraculeusement / par un hasard extraordinaire
Alors, me direz-vous / Vous me direz, dans ce cas
s'en vont en pleine campagne / partent loin de la ville / se rendent au milieu des champs
s'installent / se mettent / se placent
sac à gibier / gibecière / carnassière

font rire et font chanter / rendent joyeux et donnent envie de chanter

ils se mettent en chasse / la chasse commence
jette / lance
de toutes ses forces / aussi fort qu'il peut
la tire au vol / tire des coups de fusil sur la casquette pendant qu'elle est en l'air
Celui qui met le plus souvent dans / Celui qui fait le plus grand nombre de trous dans l'étoffe de / Le chasseur dont les balles atteignent le plus fréquemment
n'avait pas son égal / était incontestablement le meilleur / était insurpassable
tous les dimanches soir / chaque dimanche, à la tombée de la nuit

à cette époque, c'était déjà le roi de Tarascon, et voici pourquoi:

Là-bas, tout le monde est chasseur, du plus grand au plus petit. La chasse est la passion des Tarasconnais, depuis les temps reculés où l'on organisait des battues contre la Tarasque. Vous voyez qu'il y a beau jour!

Donc, tous les dimanches matin, Tarascon prend les armes et sort de ses murs, le sac au dos, le fusil à l'épaule, avec un tintamarre de chiens, de trompes, de cors de chasse. C'est superbe à voir... Par malheur, le gibier manque, il manque absolument.

À la longue, les bêtes ont fini par se méfier: à cinq lieues autour de Tarascon, pas un merle, pas une caille, pas le moindre petit lapin. Même les oiseaux de passage, quand ils aperçoivent de loin les clochers de la ville, font un détour pour éviter Tarascon.

En fait de gibier, il ne reste plus dans le pays qu'un vieux lièvre malicieux, échappé comme par miracle aux massacres et qui s'obstine à vivre là. À Tarascon, ce lièvre est très connu. On lui a donné un nom. Il s'appelle *le Rapide*. On sait où il a son gîte, mais on n'a pas encore pu l'atteindre.

Alors, me direz-vous, puisque le gibier est si rare à Tarascon, qu'est-ce que les chasseurs tarasconnais font donc tous les dimanches? Eh bien, ils s'en vont en pleine campagne, à quelques kilomètres de la ville. Ils se réunissent par petits groupes de cinq ou six, s'installent tranquillement à l'ombre d'un vieux mur, ou d'un olivier, tirent de leur sac à gibier un bon morceau de viande froide, des oignons crus, quelques anchois, et commencent un déjeuner interminable, en buvant un de ces délicieux vins du Rhône, qui font rire et qui font chanter.

Après quoi, ils se lèvent, ils sifflent les chiens, ils arment les fusils, et ils se mettent en chasse; c'est-à-dire que chacun prend sa casquette, la jette en l'air de toutes ses forces et la tire au vol. Celui qui met le plus souvent dans sa casquette est proclamé roi de la chasse et rentre le soir en triomphateur à Tarascon, la casquette au bout de son fusil, au milieu des aboiements et des fanfares.

Or Tartarin n'avait pas son égal, comme chasseur de casquettes. Tous les dimanches matin, il partait avec une casquette neuve et tous les dimanches soir, il revenait avec une casquette en lam-

aussi Tartarin était-il / par conséquent Tartarin était

le prenaient pour arbitre / lui demandaient d'être juge / le consultaient et acceptaient sa décision

se disputant / se querellant / échangeant des propos violents

rendait la justice / dirigeait et tranchait les débats / statuait sur les litiges

devait son prestige à / était fameux pour / avait une grande réputation grâce à

bien d'autres talents / beaucoup d'autres aptitudes

ont la passion des / ont un goût très vif pour les / aiment avec enthousiasme les

personne / quiconque

d'une voix de tonnerre / très fort / d'une voix de stentor

Un frisson de terreur courait dans / Un frémissement d'épouvante parcourait

Le fait est / Il est certain / On ne peut pas nier

gagner l'admiration / conquérir le respect

du coin de l'œil / en cachette / sans avoir l'air de regarder

se disaient tout bas / chuchotaient / murmuraient

les uns aux autres / entre eux / mutuellement

C'est celui-là qui est fort! / En voilà un qui est robuste! / Ce gaillard-là est solide!

qu'on entend de ces choses-là / qu'on peut entendre des expressions semblables / que l'on exprime des idées de ce genre

en dépit de tout / malgré tout

lui pesait / ne lui plaisait pas / l'importunait / lui semblait dure à supporter

s'ennuyait / trouvait tout sans intérêt / ne s'intéressait à rien / trouvait l'existence terne et monotone

guère / pas beaucoup / pas grand-chose

s'exerçait à l'escrime / faisait des armes

sans se presser / lentement / en prenant son temps

à l'anglaise / sans que personne s'en aperçoive

beaux. Dans la petite maison au baobab, les greniers étaient pleins de ces trophées; aussi Tartarin était-il reconnu pour leur maître par tous les Tarasconnais qui le prenaient pour arbitre dans toutes leurs discussions.

Tous les jours, de trois à quatre heures de l'après-midi, chez l'armurier, on voyait un gros monsieur, grave et fumant sa pipe, assis dans un grand fauteuil, au milieu du magasin plein de chasseurs de casquettes, tous debout, discutant et se disputant. C'était Tartarin de Tarascon qui rendait la justice.

Du reste, Tartarin devait son prestige à bien d'autres talents: tous les Tarasconnais ont la passion des romances, et Tartarin les chantait mieux que personne. Ainsi quand il rugissait, d'une voix de tonnerre, le duo de *Robert le Diable,* avec la mère du pharmacien qui l'accompagnait au piano, tout le salon frémissait. Un frisson de terreur courait dans la pharmacie.

Le fait est que Tartarin avait su gagner l'admiration de tout le monde. Il était vraiment le *roi* de Tarascon; l'armée était pour Tartarin, la magistrature et le peuple aussi. Sur les quais, le dimanche soir, quand Tartarin revenait de la chasse, la casquette au bout de son fusil, les promeneurs, se montrant du coin de l'œil les biceps gigantesques qui roulaient sur ses bras, se disaient tout bas les uns aux autres avec admiration: «C'est celui-là qui est fort! Il a doubles muscles!»

Doubles muscles! Il n'y a qu'à Tarascon qu'on entend de ces choses-là.

Pourtant, en dépit de tout, avec ses nombreux talents, ses doubles muscles, la faveur populaire, Tartarin n'était pas heureux; cette vie de petite ville lui pesait. Le grand homme s'ennuyait à Tarascon. Pour une âme héroïque comme la sienne, qui rêvait batailles, grandes chasses, sables du désert, aller tous les dimanches chasser la casquette et, le reste du temps, rendre la justice chez l'armurier, ce n'était guère...

Tous les soirs, à neuf heures, Tartarin allait à son cercle. Avant de partir, il prenait une canne à épée, mettait dans sa poche un revolver, et s'exerçait à l'escrime quelques instants dans le silence et l'ombre de son cabinet; puis il traversait son jardin, sans se presser, à l'anglaise. Arrivé à la porte de son jardin, il l'ouvrait

après avoir jeté un coup d'œil / ayant lancé un regard furtif
de droite à gauche / dans toutes les directions
se mettait en route / s'en allait / partait
il n'y avait pas un chat / on ne voyait personne

s'en allait / marchait / avançait
faisant sonner ses talons / frappant le sol de ses talons
en mesure / en cadence / d'un pas rythmique
avait soin de tenir le milieu / ne manquait pas de rester au beau milieu
voir venir le danger / être prêt à toute éventualité
se gardait / était sur ses gardes

jamais il n'avait fait de mauvaise rencontre / il n'avait jamais trouvé sur sa route personne de dangereux

besoin d'aventures / désir d'action

changea le cours de sa paisible existence / modifia sa vie tranquille

l'air effaré / qui semblait stupéfait / hagard

Au milieu de la stupeur générale / Dans l'immobilité générale causée par la surprise et l'effroi

foire / grand marché agricole / grand marché public
faire une halte de quelques jours / s'arrêter pour passer plusieurs jours

On n'avait jamais vu de lion / C'était la première fois qu'on voyait un vrai lion

personne ne trouvait un mot à dire / tout le monde se taisait / ils avaient tous la parole coupée

L'émotion était à son comble / L'agitation était extrême
Allons voir ça! / Il faut aller voir ça! / Ne manquons pas ce spectacle!
se précipitèrent derrière lui / le suivirent rapidement / marchèrent en toute hâte sur ses traces

il y avait déjà beaucoup de monde / un grand nombre de personnes étaient déjà arrivées

fit rapidement le tour des cages / alla vite de cage en cage
vint se placer devant / se mit en face de
l'air abruti / qui semblait stupide / le regard vide
se regardant / s'observant / se toisant
jusque-là / jusqu'à ce moment-là / avant cela
en leur bâillant au nez / ouvrant avec ennui une large gueule devant eux

brusquement et sortait, après avoir vite jeté un coup d'œil de droite à gauche. Enfin, il se mettait en route. Sur le chemin d'Avignon, il n'y avait pas un chat. Toutes les portes étaient closes et les fenêtres éteintes. Tout était noir.

Superbe et calme, Tartarin s'en allait ainsi dans la nuit, faisant sonner ses talons en mesure et frappant les pavés du bout de sa canne. Il avait soin de tenir toujours le milieu de la chaussée, ce qui permet de voir venir le danger. Ne croyez surtout pas que Tartarin eût peur... Non! seulement il se gardait. Il espérait même qu'un soir il serait attaqué dans une des ruelles noires et sinistres qu'il traversait; malheureusement, jamais il n'avait fait de mauvaise rencontre. Pas même un chien, pas même un ivrogne.

Pourtant avec un pareil besoin d'aventures, Tartarin n'avait jamais quitté Tarascon, jusqu'au jour où un événement singulier changea le cours de sa paisible existence. C'était un soir, chez l'armurier. Tartarin était en train d'expliquer le maniement d'un fusil d'un nouveau modèle à quelques amis, lorsqu'un chasseur de casquettes entra, l'air effaré, dans la boutique, en criant: «Un lion!... Un lion!...» Au milieu de la stupeur générale et de la bousculade, il expliqua que la célèbre ménagerie Mitaine, revenant de la foire de Beaucaire, avait consenti à faire une halte de quelques jours à Tarascon et venait de s'installer sur la place du château, avec un tas de serpents, de crocodiles et un magnifique lion de l'Atlas.

On n'avait jamais vu de lion à Tarascon. Chez l'armurier personne ne trouvait un mot à dire. L'émotion était à son comble. C'est à ce moment que Tartarin, pâle et frémissant, s'écria: «Allons voir ça!» et tous les chasseurs de casquettes se précipitèrent derrière lui.

Quand ils arrivèrent à la ménagerie, il y avait déjà beaucoup de monde, à l'intérieur de la baraque, autour des cages. L'intrépide Tartarin fit rapidement le tour des cages, puis vint se placer devant celle du lion; d'un côté des barreaux, Tartarin, les deux bras appuyés sur son fusil; de l'autre, un énorme lion, couché dans la paille, l'œil clignotant, l'air abruti. Tous les deux calmes et se regardant. Mais le lion qui, jusque-là, avait regardé les Tarasconnais d'un air de dédain indifférent, en leur bâillant au nez, eut soudain un

mouvement de colère / geste de rage
dressa la tête / leva bien haut la tête
poussa un formidable rugissement / fit entendre un cri féroce
se précipitèrent vers les portes / coururent vers la sortie

au bout d'un moment / après quelques instants

se rapprochèrent de / revinrent près de

Ça oui, c'est une chasse! / C'est vraiment un animal digne de la chasse! / Quel gibier!

n'en dit pas davantage / ne dit rien d'autre
en avait déjà trop dit / avait parlé plus qu'il ne fallait / avait prononcé des paroles imprudentes
le bruit courait / on disait partout / la rumeur s'était répandue
pas soufflé mot de / rien dit à propos de

ne partait pas du tout / ne s'en allait absolument pas

eu l'intention de / formé le projet de

entraîné par le punch / excité et stimulé par la boisson alcoolique

grisé par le succès / exalté par la réussite

avant peu / sous peu / avant longtemps / dans un bref délai
se mettre à la poursuite des / courir après les / chasser les

la moindre envie de partir / aucun désir de s'en aller

La première aventure lui arriva / Il eut sa première aventure / Il passa par la première péripétie
allé se promener / parti faire un tour à pied
aux environs d'Alger / dans la campagne autour de la ville
à travers champs / en traversant les champs
se dit / se mit à penser
Il y a du lion dans l'air / Ça sent le lion
se mettre à l'affût / épier et guetter / dresser une embûche
il eut l'idée de / il lui vint à l'esprit de
à quelques pas / tout près / pas bien loin

mouvement de colère; il se leva, dressa la tête, ouvrit une gueule immense et poussa vers Tartarin un formidable rugissement. Tous les Tarasconnais, hommes, femmes et enfants, affolés, se précipitèrent vers les portes. Seul, Tartarin ne bougea pas; il était là, ferme et résolu, devant la cage; et au bout d'un moment, quand les chasseurs de casquettes, rassurés par son attitude, se rapprochèrent de leur chef, ils l'entendirent murmurer: «Ça oui, c'est une chasse!»

Ce jour-là, Tartarin n'en dit pas davantage; mais il en avait déjà trop dit... Le lendemain, le bruit courait dans Tarascon que Tartarin allait bientôt partir pour l'Algérie et la chasse au lion. Tartarin n'avait pas soufflé mot de ce départ; aussi fut-il l'homme le plus surpris de la ville en apprenant qu'il allait partir. Mais au lieu de répondre simplement qu'il ne partait pas du tout, qu'il n'avait jamais eu l'intention de partir, la première fois qu'on lui parla de ce voyage, Tartarin dit, d'un air évasif: «Hé! Hé!... peut-être.» La seconde fois, il répondit: «C'est probable.» La troisième fois: «C'est certain.»

Enfin, un soir, au cercle, entraîné par le punch, les bravos et les lumières, grisé par le succès que l'annonce de son départ avait eu dans la ville, le malheureux Tartarin déclara qu'il était las de chasser les casquettes, et qu'il allait, avant peu, se mettre à la poursuite des grands lions de l'Atlas...

Le lendemain, dégrisé, Tartarin n'avait plus la moindre envie de partir. Mais il était trop tard; tous les Tarasconnais exigeaient le départ de leur héros. Il fallut se mettre en route.

Le 1er décembre 186.., à midi, par un soleil d'hiver provençal, un temps splendide, le grand Tartarin s'embarqua, à Marseille, pour le pays des lions.

La première aventure de chasse lui arriva une nuit, alors qu'il était allé se promener aux environs d'Alger. Comme il marchait à travers champs, sous les étoiles, traversant des fossés, des broussailles, Tartarin se dit: «Il y a du lion dans l'air, par ici.» Et il s'arrêta, pour se mettre à l'affût, en attendant les fauves. Il attendit une heure, deux heures... Rien. Puis il eut l'idée de bêler, d'une voix chevrotante: «Mê! Mê!» pour attirer les lions. Tout à coup, à quelques pas de lui, quelque chose de noir et d'énorme surgit.

partait au galop / se mettait à courir très vite

sans aucun doute / certainement / il n'y avait pas le moindre doute

En joue! feu! / Épaulons le fusil et "pan!"
Au coup de feu / Quand la balle partit

finit par s'endormir / s'endormit enfin / succomba finalement au sommeil

l'aube / la première lueur du jour

se croyait en plein / croyait se trouver au milieu du

il fut étonné que les lions viennent / il lui parut étrange qu'il y ait des lions là

tomba sur notre héros / se précipita sur Tartarin

à coups de parapluie / en le frappant de son parapluie

par erreur / par méprise / à la suite d'une confusion
faillit coûter la vie à / fit presque perdre la vie à / aurait pu avoir des conséquences fatales pour
mettre en pièces / déchirer en morceaux
L'affaire s'arrangea / Un accord fut conclu / Le ressentiment fut apaisé
en fut quitte pour 2.500 francs d'indemnité / n'eut à payer que 2.500 francs de dommages-intérêts / sortit d'embarras en payant 2.500 francs à titre de compensation
eut l'effet que l'on devine / produisit l'impression à laquelle on s'attend
se montèrent la tête / s'exaltèrent / donnèrent libre cours à leur imagination
descendit du train / sortit du wagon de chemin de fer
la population tout entière / toute la ville
au comble de la joie / ivre d'allégresse / au plus haut degré de la gaieté
Vive Tartarin! / Bravo, Tartarin! / Gloire à Tartarin!

Cela se baissait, bondissait, partait au galop, puis revenait... c'était le lion, sans aucun doute. Maintenant, on voyait très bien ses quatre pattes courtes et deux grands yeux qui luisaient dans l'ombre. Tartarin n'hésita pas. En joue! feu! feu! pan! pan! Au coup de feu du Tarasconnais, un hurlement terrible retentit. La bête s'enfuit. Tartarin ne bougea pas. Il attendit. Il attendit si longtemps qu'il finit par s'endormir.

Quand il se réveilla, à l'aube, il s'aperçut, lui qui se croyait en plein désert, qu'il se trouvait dans un carré d'artichauts, entre un plant de choux-fleurs et un plant de betteraves. Tartarin fut étonné que les lions viennent dans des carrés d'artichauts. Pourtant, la preuve, c'était qu'en fuyant, le lion avait laissé derrière lui des taches de sang. Revolver au poing, Tartarin arriva, d'artichaut en artichaut, dans un petit champ d'avoine et découvrit, couché sur le flanc... un âne, un de ces petits ânes si communs en Algérie. Pendant qu'il contemplait avec pitié sa victime, survint la propriétaire de l'âne, une vieille femme qui tomba sur notre héros à coups de parapluie.

Pourtant Tartarin ne revint pas à Tarascon sans avoir tué un lion, un vieux lion apprivoisé, aveugle, que deux hommes promenaient avec respect et que Tartarin abattit, par erreur, de deux balles explosives dans la tête. Ce qui faillit coûter la vie à Tartarin que les deux gardiens de la bête voulaient mettre en pièces.

L'affaire s'arrangea: Tartarin en fut quitte pour deux mille cinq cents francs d'indemnité et il envoya la peau du lion à Tarascon.

Cette modeste fourrure eut sur les Tarasconnais l'effet que l'on devine. En la voyant, tous se montèrent la tête... ce n'était plus un lion, c'était dix lions, vingt lions que Tartarin avait tués, si bien qu'à la gare de Tarascon, quand il descendit du train à son tour, l'intrépide Tartarin fut reçu par la population tout entière, au comble de la joie, aux cris de: «Vive Tartarin, le tueur de lions!»

Questionnaire

1. Qu'est-ce que c'est qu'un vantard?
2. Quel est, en France, le prototype du vantard?
3. Quel genre de personnage est Tartarin?
4. Par qui Tartarin a-t-il été créé?
5. Où se trouve la petite ville de Tarascon?
6. À cette époque, où Tartarin habitait-il?
7. En quoi le jardin de Tartarin était-il différent des autres jardins d'Europe?
8. De quelle taille étaient les plantes exotiques?
9. Quel sentiment éprouvaient les Tarasconnais après avoir contemplé le baobab?
10. Qu'est-ce qui était une des curiosités de la ville?
11. Qu'y avait-il aux murs de la grande salle?
12. Quels genres d'armes de tous les pays du monde y voyait-on?
13. Quel effet tous ces objets terrifiants pouvaient-ils avoir?
14. Qu'est-ce qui se trouvait sur le guéridon?
15. Quel genre d'homme était assis devant le guéridon?
16. Que faisait cet homme?
17. Enfin, qui était cet homme?
18. Quelle est la grande passion de tous les Tarasconnais?
19. Qu'est-ce qui est superbe à voir, tous les dimanches matin, à Tarascon?
20. Qu'est-ce qui manque, par malheur?
21. Que font les oiseaux de passage en voyant les clochers de la ville?
22. Qu'est-ce qui reste dans le pays, en fait de gibier?
23. Qu'est-ce que les chasseurs tarasconnais font donc, tous les dimanches?

24. Après le déjeuner interminable, que font les chasseurs avec leurs casquettes?
25. Sur quoi se base-t-on pour proclamer un chasseur roi de la chasse?
26. Comment le roi rentre-t-il le soir à Tarascon?
27. Comment savez-vous que Tartarin n'avait pas son égal comme chasseur de casquettes?
28. Quel rôle les Tarasconnais assignaient-ils à Tartarin, dans leurs discussions?
29. Où et dans quelles circonstances Tartarin rendait-il la justice?
30. À quel autre talent Tartarin devait-il son prestige?
31. Qu'est-ce que les promeneurs se disaient tout bas avec admiration, lorsque Tartarin revenait de la chasse?
32. Puisque, en dépit de tout, Tartarin n'était pas heureux, à quoi rêvait-il donc?
33. Que faisait Tartarin, tous les soirs, avant d'aller à son cercle?
34. Comment notre héros marchait-il dans la nuit?
35. Quel événement singulier a changé le cours de la paisible existence de Tartarin?
36. Qu'est-ce que la célèbre ménagerie Mitaine venait de faire à Tarascon?
37. Que s'est-il passé quand Tartarin est venu se placer devant la cage du lion?
38. Lorsque tous les Tarasconnais affolés se sont précipités vers les portes, qu'a fait Tartarin?
39. Quel bruit courait, le lendemain, dans Tarascon?
40. Qu'est-ce que le malheureux Tartarin, grisé par le succès, a déclaré au cercle?
41. Que s'est dit notre héros, une nuit qu'il marchait sous les étoiles, aux environs d'Alger?
42. Après le coup de feu du Tarasconnais, qu'est-il arrivé?
43. Quand il s'est réveillé, à l'aube, où Tartarin se trouvait-il?
44. Après avoir atteint un petit champ d'avoine, qu'est-ce que le grand chasseur a découvert?
45. Qui est arrivé pendant que notre héros contemplait avec pitié sa victime?
46. Quelle sorte de lion Tartarin a-t-il abattu?
47. Quel effet a produit, sur les Tarasconnais, la peau du lion?
48. Quand l'intrépide Tartarin est arrivé à la gare de Tarascon, comment a-t-il été reçu par la population?

EXERCICES

1. (a) Alphonse Daudet *avait rendu visite à* Tartarin.
   (b) Alphonse Daudet *était allé voir* Tartarin.
   A. Nous irons voir le directeur.
   B. ———

2. (a) *À cette époque,* Tartarin habitait une maison située sur le chemin d'Avignon.
   (b) *En ce temps-là,* Tartarin habitait une maison située sur le chemin d'Avignon.
   A. En ce temps-là, René Coty était président de la République française.
   B. ———

3. (a) Les Tarasconnais rentraient *chez eux* pleins d'admiration.
   (b) Les Tarasconnais rentraient *à la maison* pleins d'admiration.
   A. Tous les jours, après la classe, je rentre chez moi.
   B. ———

4. (a) *À la longue,* les bêtes ont fini par se méfier.
   (b) *Avec le temps,* les bêtes ont fini par se méfier.
   A. Avec le temps, vous vous y habituerez.
   B. ———

5. (a) Ils *s'installent* à l'ombre d'un vieux mur.
   (b) Ils *se mettent* à l'ombre d'un vieux mur.
   A. Mettons-nous là: nous y serons très bien.
   B. ———

6. (a) *Le fait est* que Tartarin avait su gagner leur admiration.
   (b) *Il est certain* que Tartarin avait su gagner leur admiration.
   A. Il est certain que votre décision soudaine nous a surpris.
   B. ———

7. (a) Il *se mettait* enfin *en route*.
   (b) Il *partait* enfin.
   A. Maintenant que tout est prêt, partons.
   B. ———

8. (a) *Le bruit courait* que Tartarin allait bientôt partir.
   (b) *On disait* que Tartarin allait bientôt partir.
   A. On disait que la guerre était sur le point de se terminer.
   B. ———

au cours de / durant / pendant
la célèbre «affaire» / la cause célèbre / le procès fameux
l'erreur judiciaire / la condamnation injuste
à la fois / en même temps
marchand ambulant / commerçant qui n'a pas de magasin fixe / vendeur qui transporte sa marchandise sur une charrette

marchand des quatre-saisons / marchand qui vend, dans une petite voiture, les fruits ou les légumes frais de la saison
comparaissait devant un tribunal / se présentait, par ordre de la police, devant un magistrat / avait été convoqué devant les juges

en robe / portant la toge longue et ample des hommes de justice

Crainquebille

Anatole France, le grand romancier français qui, avec Émile Zola, défendit le capitaine Dreyfus, au cours de la célèbre «affaire», nous conte dans *Crainquebille* l'erreur judiciaire, à la fois comique et profondément tragique, dont fut victime un humble marchand ambulant parisien.

* * *

I

Pour la première fois de sa vie, Jérôme Crainquebille, marchand des quatre-saisons, comparaissait devant un tribunal: il venait d'être traduit en justice pour outrage à un agent de la force publique. Dans une salle magnifique et sombre, il était assis sur le banc des accusés. Il regardait les juges et les avocats en robe, les gendarmes et, derrière une cloison, les spectateurs silencieux. Au

entre ses deux assesseurs, monsieur le président siégeait / les trois juges étaient assis / le Président du Tribunal était assis entre ses collègues
Christ en croix / crucifix
en sorte que / de telle manière que / si bien que

n'avait pas l'esprit philosophique / ne se creusait guère la tête / réfléchissait peu
ce que voulaient dire / ce que signifiaient / la raison d'être de
en ces termes / ainsi / par ces mots

subit une condamnation / fut condamné à une peine

ne se livrait à aucune réflexion / ne faisait pas d'observations philosophiques / ne cherchait pas à raisonner

ne se croyait pas criminel / pensait qu'il n'était pas coupable
que pèse. . .? / quelle est l'importance de. . .?

à moitié convaincu / presque amené à croire
L'instruction avait relevé de lourdes charges / La procédure avait signalé de graves accusations

sortit de sa boutique / quitta son magasin

ne sont guère beaux / n'ont pas l'air très frais / sont loin d'être beaux
Combien la botte? / Combien coûte un paquet?

d'un air dégoûté / avec répugnance

Circulez / Ne stationnez pas ici / Passez votre chemin

fond de la salle, entre ses deux assesseurs, monsieur le président siégeait. Un buste de la République et un Christ en croix dominaient la salle d'audience, en sorte que toutes les lois divines et humaines étaient suspendues sur la tête de Crainquebille. Comme il n'avait pas l'esprit philosophique, il ne se demanda pas ce que voulaient dire ce buste et ce crucifix. Sinon, il aurait pu s'adresser au tribunal en ces termes:

—Monsieur le président, le Christ de l'Évangile était révolutionnaire. De plus, il subit une condamnation que, depuis plus de dix-neuf cents ans, tous les peuples chrétiens considèrent comme une grave erreur judiciaire. Il vous défie, monsieur le président, de me condamner, en son nom, à la peine la plus légère.

Mais Crainquebille, qui avait l'esprit simple, ne se livrait à aucune réflexion. Il demeurait frappé de stupeur. Rempli de respect et d'épouvante par le décor et le spectacle impressionnants de la salle d'audience, il ne savait plus très bien s'il était coupable ou innocent. Dans sa conscience, il ne se croyait pas criminel; mais que pèse la conscience d'un humble marchand de légumes devant les symboles de la loi et les magistrats poursuivant le crime? Déjà son avocat l'avait à moitié convaincu qu'il était coupable. L'instruction avait relevé de lourdes charges contre lui.

II

Jérôme Crainquebille, marchand ambulant, poussait sa petite voiture par les rues de la ville, en criant: «Des choux, des navets, des carottes!» Et quand il avait des poireaux, il criait: «Bottes d'asperges!» parce que les poireaux, comme on dit à Paris, sont les asperges du pauvre. Or, le 20 octobre à midi, comme il descendait la rue Montmartre, Madame Bayard, la cordonnière, sortit de sa boutique, s'approcha de la voiture et se mit à tâter les poireaux.

—Ils ne sont guère beaux, vos poireaux, dit-elle au marchand. Combien la botte?

—Quinze sous.

—Quinze sous, répéta Madame Bayard, trois mauvais poireaux.

Et elle rejeta la botte dans la charrette d'un air dégoûté. C'est à ce moment que l'agent 64 apparut et dit à Crainquebille:

—Circulez.

tout à fait / très / vraiment

se remit à tâter / recommença à tripoter
finit par choisir / choisit finalement / se décida enfin pour

il faut que j'aille les chercher / je dois retourner les prendre

sur moi / dans ma poche

reposaient / avaient été placés

représentants de l'autorité / agents de police / sergents de ville / gardiens de la paix

son devoir était de pousser sa voiture / il devait faire avancer sa charrette

ne bougea pas / n'avança pas / resta immobile

fiche une contravention / dresse un procès-verbal

vous n'avez qu'à le dire / dites-le simplement

voulait dire / signifiait

J'ai soixante ans sonnés / J'ai dépassé soixante ans

l'embarras de voitures était extrême / l'encombrement de la circulation était à son comble

étaient pressés les uns contre les autres / étaient serrés de tous les côtés / se touchaient presque

Depuis cinquante ans, celui-ci circulait du matin au soir. Cet ordre lui sembla tout à fait naturel. Toutefois, avant d'y obéir, il demanda à sa cliente de choisir une botte de poireaux. Madame Bayard se remit à tâter les bottes de poireaux et finit par choisir celle qui lui parut la plus belle, en disant au marchand:

—Je vais vous donner quatorze sous. C'est bien assez. Mais il faut que j'aille les chercher dans ma boutique, parce que je ne les ai pas sur moi.

Et elle rentra dans la cordonnerie. L'agent 64 dit alors pour la deuxième fois à Crainquebille:

—Circulez!

—J'attends mon argent, répondit Crainquebille.

—Je ne vous dis pas d'attendre votre argent; je vous dis de circuler, reprit l'agent.

Cependant la cordonnière, dans sa boutique, essayait des souliers bleus à un enfant de dix-huit mois. Et les poireaux reposaient sur le comptoir.

Depuis cinquante ans qu'il poussait sa voiture dans les rues, Crainquebille avait appris à obéir aux représentants de l'autorité. Mais il se trouvait cette fois dans une situation particulière. Il sentait que son devoir était de pousser sa voiture, mais il sentait que son droit était de recevoir ses quatorze sous. Il ne bougea pas.

Pour la troisième fois, l'agent 64 lui dit tranquillement:

—Vous n'entendez donc pas que je vous donne l'ordre de circuler!

—Mais puisque je vous dis que j'attends mon argent.

À quoi l'agent 64 répondit simplement:

—Voulez-vous que je vous fiche une contravention? Si vous le voulez, vous n'avez qu'à le dire.

En entendant ces paroles, Crainquebille haussa les épaules et lança à l'agent un regard qui voulait dire: «Je ne suis pas un rebelle. Dès cinq heures, ce matin, j'étais aux Halles. J'ai soixante ans sonnés. Je suis las. Et vous me demandez si je me révolte. Vous vous moquez de moi. . .»

Or, à ce moment précis, l'embarras de voitures était extrême dans la rue Montmartre. Les fiacres, les omnibus, les camions étaient pressés les uns contre les autres: les cochers de fiacres et

s'en prenant à / blâmant / rejetant la responsabilité sur

C'est bon / Cela suffit / J'ai assez attendu

C'est malheureux! / C'est intolérable! / C'est insupportable!
Bon sang de bon sang! / Nom d'un chien! / Sapristi!
l'agent se crut insulté / le sergent de ville pensa qu'on l'avait injurié

Mort aux vaches! / À bas les agents!

était au comble de la stupeur / avait atteint le plus haut degré de l'étonnement.

fut accueillie par les rires des badauds / provoqua les rires de la foule

Vous vous êtes trompé / Vous avez commis une erreur

intima l'ordre / ordonna / commanda / donna l'injonction

tenait déjà Crainquebille au collet / avait déjà saisi Crainquebille par le col de sa veste

l'on ne doit rien à / on n'est pas obligé de payer / on n'a pas de dettes envers

avait été témoin de la scène / avait tout vu et entendu / avait vu tout ce qui s'était passé

donna ses nom et qualité / déclara au commissaire son nom et sa profession
médecin en chef / à la tête du personnel médical

passa la nuit au violon / dormit en prison

Où est-ce qu'ils ont mis ma voiture? / Qu'ont-ils fait de ma charrette? / Où se trouve maintenant ma charrette?

les conducteurs d'omnibus échangeaient des jurons et des injures et tous, s'en prenant à Crainquebille qu'ils considéraient comme la cause de l'embarras, l'appelaient «sale poireau».

—C'est bon, dit l'agent.

Et il tira de sa poche un calepin et un crayon. D'ailleurs, Crainquebille ne pouvait plus avancer ni reculer, car la roue de sa charrette était prise dans la roue d'une voiture de laitier. Il s'écria en s'arrachant les cheveux:

—Mais puisque je vous dis que j'attends mon argent. C'est malheureux! Bon sang de bon sang!

Par ces propos, l'agent 64 se crut insulté et eut de bonne foi l'impression que Crainquebille avait lancé l'insulte traditionnelle qui s'adresse aux agents: «Mort aux vaches!»

—Ah! vous avez dit «Mort aux vaches!» C'est bon. Suivez-moi.

Crainquebille était au comble de la stupeur et de la détresse et, regardant l'agent 64, il s'écria, les bras croisés sur sa blouse bleue:

—J'ai dit «Mort aux vaches!», moi? Oh!

Cette arrestation fut accueillie par les rires des badauds. Mais à ce moment-là un vieillard, vêtu de noir et coiffé d'un chapeau haut de forme, s'approcha de l'agent et lui dit à voix basse:

—Vous vous êtes trompé. Cet homme ne vous a pas insulté.

—Mêlez-vous de ce qui vous regarde, lui répondit l'agent.

Et comme le vieillard insistait, l'agent lui intima l'ordre de le suivre chez le commissaire.

L'agent tenait déjà Crainquebille au collet, lorsque Madame Bayard, la cordonnière, s'avança, les quatorze sous dans la main; pensant que l'on ne doit rien à un homme conduit au poste de police, elle mit les quatorze sous dans la poche de son tablier.

Devant le commissaire, le vieillard déclara qu'il avait été témoin de la scène et qu'il affirmait que l'agent n'avait pas été insulté. Il donna ses nom et qualité: docteur David Matthieu, médecin en chef de l'hôpital Ambroise-Paré, officier de la Légion d'honneur.

Malgré ce témoignage favorable, Crainquebille passa la nuit au violon et fut transféré, le matin, à la préfecture de police. En prison, il pensait à sa voiture saisie, encore pleine de choux, de carottes et de céleri, et il se demandait anxieux: «Où est-ce qu'ils ont mis ma voiture?»

secoua la tête / remua la tête en signe de doute
d'un air méfiant / d'une manière soupçonneuse / avec incrédulité

il serait peut-être préférable d'avouer / il vaudrait probablement mieux vous déclarer coupable / vous feriez sans doute mieux d'admettre que vous êtes en faute

consacra / employa

gardait le silence / ne disait rien / restait muet

reconnaissez avoir dit / admettez que vous avez dit

voulait dire / avait l'intention de dire

y renonça / se résigna et ne continua pas

fit alors appeler les témoins / ordonna que les témoins comparaissent devant lui

Puis il déposa en ces termes / Ensuite, il s'exprima de la manière suivante / Puis il fit sa déposition en ces mots
Étant de service / Dans l'exercice de mes fonctions / Exerçant mes fonctions
occasionnait un encombrement de voitures / causait un embarras de voitures / arrêtait momentanément la circulation

j'allais verbaliser / j'étais sur le point de dresser un procès-verbal

écoutée avec faveur / entendue avec bienveillance

Je me trouvais dans la foule / J'étais parmi les passants

s'était trompé / avait commis une erreur

Le troisième jour, il reçut la visite de son avocat, Maître Lemerle, un des plus jeunes membres du barreau de Paris, qui avait été désigné d'office pour le défendre. Il essaya de lui conter son affaire, mais son avocat secoua la tête d'un air méfiant et lui dit, en frisant sa moustache:

—Dans votre intérêt, il serait peut-être préférable d'avouer.

Et dès lors Crainquebille aurait fait des aveux, s'il avait su ce qu'il fallait avouer.

III

Le président du tribunal consacra six minutes à l'interrogatoire de Crainquebille. Malheureusement, celui-ci était tellement effrayé qu'il ne répondait pas aux questions qui lui étaient posées; il gardait le silence, et le président faisait lui-même les réponses, qui étaient accablantes.

—Enfin, vous reconnaissez avoir dit «Mort aux vaches!»

—J'ai dit «Mort aux vaches!» parce que monsieur l'agent a dit «Mort aux vaches!» Alors j'ai dit «Mort aux vaches!»

Il voulait dire qu'il avait simplement répété les paroles étranges qu'il n'avait certes pas prononcées.

Mais c'était trop difficile à expliquer; Crainquebille y renonça. Le président fit alors appeler les témoins.

L'agent 64 jura de dire la vérité et de ne dire rien que la vérité. Puis il déposa en ces termes:

—Étant de service, le 20 octobre vers midi, je remarquai, dans la rue Montmartre, un individu, un vendeur ambulant, qui tenait sa charrette arrêtée, ce qui occasionnait un encombrement de voitures. Je lui donnai trois fois l'ordre de circuler, auquel il refusa d'obéir, et quand je l'avertis que j'allais verbaliser, il me répondit en criant «Mort aux vaches!»

Cette déposition fut écoutée avec faveur par le Tribunal. Ensuite, ce fut le tour de Madame Bayard; mais elle n'avait rien vu ni entendu. Puis on écouta la déposition du docteur Matthieu qui déclara:

—Je me trouvais dans la foule assemblée autour de l'agent qui sommait le marchand de circuler. J'ai été témoin de la scène. J'ai remarqué que l'agent n'avait pas été insulté! Il s'était trompé.

Je le lui fis observer / J'attirai son attention là-dessus

vous pouvez vous asseoir / veuillez retourner à votre place
fit rappeler / envoya chercher une deuxième fois

Des rires s'élevèrent dans l'auditoire / Des personnes assises dans la salle se mirent à rire
si ces manifestations se reproduisaient / si tout ce bruit recommençait / s'il entendait encore des rires
évacuer la salle / sortir le public
On pouvait penser / On aurait pu croire
Le calme étant revenu / Comme le silence s'était rétabli

pratiquent l'héroïsme quotidien / bravent tous les jours le danger
fit remarquer / attira l'attention sur le fait / souligna

été victime d'une hallucination / souffert d'une illusion trompeuse / été la proie de chimères

il faudrait l'excuser / on devrait lui pardonner
enfant naturel / fils illégitime
femme perdue / femme de mauvaises mœurs / femme sans morale
en outre / de plus / par-dessus le marché
abruti par soixante ans de misère / rendu stupide par de longues années de pauvreté

quinze jours de prison / deux semaines d'emprisonnement

qu'il eût raison contre les magistrats / que le tribunal pût se tromper, alors que lui était dans le vrai

Je le lui fis observer; il m'invita alors à le suivre, avec le marchand, au commissariat. Là, je répétai ma déclaration devant le commissaire.

—C'est bien, dit le président, vous pouvez vous asseoir.

5 Puis il fit rappeler l'agent 64.

—Monsieur l'agent, quand vous avez arrêté l'accusé, monsieur le docteur Matthieu ne vous a-t-il pas fait observer que vous vous trompiez?

—C'est-à-dire, Monsieur le Président, qu'il m'a insulté.

10 —Que vous a-t-il dit?

—Il m'a dit «Mort aux vaches!»

Des rires s'élevèrent dans l'auditoire et le président avertit l'assistance que, si ces manifestations se reproduisaient, il ferait évacuer la salle. On pouvait penser, à ce moment, que Crainque-
15 bille serait acquitté.

Le calme étant revenu, l'avocat se leva. Il commença sa plaidoirie par l'éloge des agents de police, «ces modestes serviteurs de la société. . . qui pratiquent l'héroïsme quotidien.» Il fit remarquer pourtant que les agents étaient parfois fatigués, surmenés par leur
20 tâche pénible et qu'il était donc possible que l'agent 64 ait été victime d'une hallucination. Il était difficile de croire que le docteur Matthieu ait crié «Mort aux vaches!» Mais, même si Crainquebille avait crié cette phrase injurieuse, il faudrait l'excuser car, «enfant naturel, né d'une marchande ambulante, une ivro-
25 gnesse et une femme perdue, il est, lui aussi, alcoolique et en outre abruti par soixante ans de misère; il doit donc être considéré comme irresponsable.»

L'avocat s'assit et le président lut le jugement qui condamnait Jérôme Crainquebille à quinze jours de prison et cinquante francs
30 d'amende.

IV

Crainquebille fut reconduit en prison, plein d'étonnement et d'admiration. Il ne pouvait croire qu'il eût raison contre les magistrats, après une si belle cérémonie; il savait pourtant qu'il n'avait pas crié «Mort aux vaches!» et sa condamnation lui sem-

Sorti de prison / Une fois mis en liberté

boire un verre / prendre un verre de vin dans un bistro

ses anciennes clientes / les ménagères qui achetaient naguère ses légumes
lui faisaient mauvais accueil / le recevaient mal / lui faisaient grise mine
se détournaient de lui / s'écartaient de lui / faisaient semblant de ne pas le voir
ne daignait même pas tourner la tête / regardait ailleurs / ne semblait pas remarquer sa présence
le père Crainquebille / le vieux Crainquebille
toute la rue Montmartre ne le connaissait plus / tout le monde le traitait comme un inconnu
Le brave homme / Cet homme honnête et droit
se disait-il / il se disait intérieurement
pour quinze jours / pendant deux semaines
Est-ce que c'était juste? / N'était-ce pas une injustice?
il n'avait plus qu'à mourir / il n'avait plus aucune raison de vivre / à quoi bon vivre?
Pour un rien / Sans raison valable / À la moindre provocation
s'était mis à boire / avait pris l'habitude de s'enivrer / noyait son chagrin dans le vin
se sentait fini / était au désespoir / se croyait à sa fin / pensait qu'il était vieux et inutile
mon affaire en justice / mon procès et mon séjour en prison
je n'ai plus le même caractère / mon humeur a beaucoup changé
la misère noire / la pénurie complète / le manque total d'argent et de vivres
chassé de son logis / mis à la porte de son logement
il n'avait rien mangé de la journée / il était resté toute la journée sans manger / son estomac était vide depuis vingt-quatre heures
mourant de froid / souffrant beaucoup du froid
se rappela les deux semaines / se souvint des quinze jours
une idée lui vint / il eut soudain une inspiration

un gardien de la paix se tenait / il y avait un agent
restait parfaitement immobile / ne remuait pas / restait là, sans bouger
avait l'air paisible / semblait d'humeur pacifique

blait un mystère, une révélation obscure et terrible qui le transportait dans un monde surnaturel.

V

Sorti de prison, Crainquebille poussait sa voiture rue Montmartre en criant: «Des choux, des navets, des carottes!» Il était content de marcher, dans la boue, sous le ciel de Paris. Libre et joyeux, il s'arrêtait à tous les coins de rue pour boire un verre. Mais il s'aperçut bien vite que quelque chose était changé dans sa vie; ses anciennes clientes lui faisaient mauvais accueil. Boutiquières et concierges, naguère assidues autour de sa voiture, se détournaient maintenant de lui. Madame Bayard, siégeant à son comptoir, ne daignait même pas tourner la tête quand il passait.

Toute la rue Montmartre savait que le père Crainquebille sortait de prison et toute la rue Montmartre ne le connaissait plus. Le brave homme n'y comprenait rien. Alors, se disait-il, parce qu'il avait été mis pour quinze jours en prison, il n'était plus bon seulement à vendre des poireaux! Est-ce que c'était juste? S'il ne pouvait vendre ses légumes, il n'avait plus qu'à mourir!

Son humeur devenait sombre. Pour un rien, il se fâchait. Il s'était mis à boire. Moins il gagnait d'argent, plus il buvait. Il n'avait plus de courage. Il se sentait fini. Il était démoralisé. «Depuis mon affaire en justice, se disait-il, je n'ai plus le même caractère. Je ne suis plus le même homme.»

VI

La misère vint, la misère noire. Le vieux marchand, chassé de son logis, coucha sous sa charrette, dans une remise. Un soir qu'il n'avait rien mangé de la journée, mourant de froid, il se rappela les deux semaines qu'il avait passées en prison, et il envia le sort des prisonniers qui ne souffrent ni du froid ni de la faim. Et une idée lui vint.

Il se leva et sortit dans la rue. Il était onze heures du soir. Il tombait une pluie fine et froide. Les rues étaient désertes. Un gardien de la paix se tenait sur le trottoir mouillé, sous un bec de gaz. Il restait parfaitement immobile dans la nuit. Il avait l'air paisible et triste.

Ce n'est pas à dire / Il ne faut pas parler comme ça / On ne dit pas des choses pareilles
avoir honte / rougir de votre conduite
passez votre chemin / allez-vous en

S'il fallait arrêter tous les ivrognes / Si on devait mettre tous les soûlauds en prison / Si on devait jeter en prison tous ceux qui boivent trop
il y aurait trop d'ouvrage / on serait débordé de travail / ce serait une trop lourde tâche / nous serions trop occupés / on n'aurait pas le temps de tout faire
à quoi est-ce que cela servirait? / à quoi bon?
la tête basse / en baissant la tête / découragé
s'enfonça sous la pluie dans l'ombre / disparut dans la nuit noire, par une pluie battante

Crainquebille s'approcha de lui et, d'une voix faible, lui dit:

—Mort aux vaches!

L'agent ne bougea pas, mais regarda Crainquebille avec mépris. Crainquebille, étonné, balbutia:

—Mort aux vaches!

Il y eut un silence. L'agent parla enfin.

—Ce n'est pas à dire. À votre âge, vous devriez avoir honte. Allons, passez votre chemin.

—Pourquoi ne m'arrêtez-vous pas? demanda Crainquebille.

L'agent secoua la tête.

—S'il fallait arrêter tous les ivrognes qui disent ça, il y aurait trop d'ouvrage! . . . Et à quoi est-ce que cela servirait?

Crainquebille, accablé par ce dédain, essaya de lui expliquer pourquoi il avait dit ça. L'agent lui répondit avec douceur:

—Je vous répète de passer votre chemin.

Crainquebille, la tête basse, s'enfonça sous la pluie dans l'ombre.

Questionnaire

1. Pourquoi Jérôme Crainquebille comparaissait-il devant le tribunal?
2. Alors qu'il était assis sur le banc des accusés, qui regardait-il dans la salle magnifique et sombre?
3. Qu'est-ce qui dominait la salle d'audience?
4. S'il avait eu l'esprit philosophique, en quels termes Jérôme Crainquebille aurait-il pu s'adresser au tribunal?
5. Comme il avait l'esprit simple, quelle était son attitude?

6. De quoi son avocat l'avait-il déjà à moitié convaincu?
7. Que faisait Jérôme Crainquebille par les rues de la ville?
8. Qu'a fait Madame Bayard, la cordonnière, en sortant de sa boutique?
9. À ce moment-là, qu'est-ce que l'agent 64 a dit à Crainquebille?
10. Pourquoi Madame Bayard ne pouvait-elle pas payer les poireaux tout de suite?
11. Pour quelle raison Crainquebille ne voulait-il pas circuler à l'instant?
12. À qui Crainquebille avait-il appris à obéir, depuis qu'il poussait sa voiture dans les rues?
13. Si son devoir était de circuler, qu'est-ce qu'il sentait être son droit?
14. Qu'a pensé Crainquebille quand l'agent 64 lui a demandé s'il voulait une contravention?
15. Qu'est-ce qui se passait dans la rue Montmartre à ce moment précis?
16. Pourquoi Crainquebille ne pouvait-il plus avancer ni reculer?
17. Que s'est écrié le pauvre marchand ambulant en s'arrachant les cheveux?
18. Quelle insulte traditionnelle l'agent 64 crut-il avoir entendue?
19. Qui s'est approché de l'agent, au moment de l'arrestation de Crainquebille?
20. Où l'agent a-t-il emmené les deux hommes?
21. Pourquoi la cordonnière n'a-t-elle pas donné les quatorze sous à Crainquebille?
22. Qu'est-ce que le docteur Matthieu a déclaré devant le commissaire?
23. À quoi Crainquebille pensait-il, en prison?
24. Qui était Maître Lemerle?
25. En quels termes l'agent 64 a-t-il fait sa déposition?
26. Quelle a été la déposition du docteur Matthieu?
27. Qu'est-ce que le président a dit lorsque des rires se sont élevés dans l'auditoire?
28. Par quoi l'avocat a-t-il commencé sa plaidoirie?
29. À quoi Jérôme Crainquebille a-t-il été condamné?
30. Une fois sorti de prison, que faisait Crainquebille?
31. De quoi s'est-il bien vite aperçu?
32. Qu'est-ce que Crainquebille, démoralisé, s'est mis à faire?
33. Où couchait le vieux marchand, tombé dans la misère?
34. Pourquoi s'est-il mis un soir à envier le sort des prisonniers?
35. Pourquoi l'agent ne voulait-il pas arrêter Crainquebille?

EXERCICES

1. (a) Il s'adressa au tribunal *en ces termes*:
   (b) Il s'adressa au tribunal *par ces mots*:
   A. Il commença son discours par ces mots:
   B. ———

2. (a) Madame Bayard *se mit à* tâter les poireaux.
   (b) Madame Bayard *commença à* tâter les poireaux.
   A. Ce champion a commencé à jouer au tennis quand il était tout petit.
   B. ———

3. (a) Elle *finit par choisir* une botte de poireaux.
   (b) Elle *choisit finalement* une botte de poireaux.
   A. Il a finalement accepté notre invitation.
   B. ———

4. (a) *Il faut que j'aille* les chercher.
   (b) *Je dois aller* les chercher.
   A. Je dois partir immédiatement.
   B. ———

5. (a) Il *ne bougea pas.*
   (b) Il *resta immobile.*
   A. Le dentiste le pria de rester immobile.
   B. ———

6. (a) Vous *vous êtes trompé.*
   (b) Vous *avez commis une erreur.*
   A. Je croyais avoir résolu le problème, mais j'avais commis une erreur.
   B. ———

7. (a) Il *serait préférable* d'avouer.
   (b) Il *vaudrait mieux* avouer.
   A. Il vaudrait mieux nous presser, pour arriver à l'heure.
   B. ———

8. (a) Le jugement le condamnait à *quinze jours* de prison.
   (b) Le jugement le condamnait à *deux semaines* de prison.
   A. Je ne prendrai pas de longues vacances: deux semaines seulement.
   B. ———

accueillir / recevoir / souhaiter la bienvenue à
qui doit lui succéder / qui va le remplacer / son futur remplaçant
se trouve / est située

tout le monde se met en route / tous se mettent en chemin / ils prennent tous le départ
tant bien que mal / aussi bien que possible / comme ci, comme ça

se poursuit lentement / continue avec lenteur
pose toute sorte de questions / se renseigne / s'enquiert

la situation médicale du pays / l'état de santé des habitants de la région
beaucoup de loisirs / énormément de temps libre / de nombreuses heures inoccupées
la ville offre peu de distractions / il n'y a guère de divertissements dans la ville

Un charlatan au XVIIIe siècle

Knock

Accompagné de sa femme, le docteur Parpalaid est venu à la gare, dans sa voiture antique, pour accueillir son jeune confrère, le docteur Knock, qui doit lui succéder comme médecin de la petite ville montagnarde de Saint-Maurice. La gare se trouve à une distance de onze kilomètres de la ville. Le docteur Knock vient d'arriver et, dès que le chauffeur a empilé les bagages dans la voiture, il s'installe au volant et tout le monde—les Parpalaid et le docteur Knock—se met tant bien que mal en route vers Saint-Maurice.

Pendant le trajet, qui se poursuit lentement, dans un paysage pittoresque de vallées et de montagnes, le docteur Knock pose toute sorte de questions à son prédécesseur sur son nouveau poste, en particulier sur la situation médicale du pays.

—Vous aurez dans votre nouvelle résidence beaucoup de loisirs, mon cher confrère, lui explique Parpalaid, car tout d'abord, la ville offre peu de distractions, et, comme le climat est salubre

sans doute pas mal de / probablement beaucoup de
qui n'auraient pas l'idée de / qui ne penseraient nullement à / auxquels il ne passerait pas par la tête de
ne s'en doutent pas une seconde / ne s'en rendent pas du tout compte / l'ignorent complètement
vers la cinquantaine / aux environs de cinquante ans / peu avant ou après cinquante ans
de temps en temps / quelquefois / de temps à autre
sont atteints / souffrent / sont affligés
rendre le dernier soupir / mourir / expirer / rendre l'âme
Ainsi, voyez-vous / Vous voyez donc
fort déçu par cette perspective / désappointé par ce que l'avenir semble lui réserver
si peu favorable que paraisse la situation / bien que les apparences semblent offrir peu d'espoir
ne se laisse pas décourager / ne tombe pas dans l'abattement / conserve sa détermination
il a hâte / il lui tarde / il est pressé
il n'a pas pour but de / il ne vise pas à / son objectif n'est pas de
gagner de l'argent / s'enrichir / faire fortune
mettre en pratique / réaliser / appliquer
exerce la médecine / pratique la profession de médecin
Je n'ai passé ma thèse de doctorat que l'été dernier / J'ai reçu mon titre officiel de docteur seulement l'été passé / Ce n'est que l'été dernier que j'ai terminé mes études médicales
Sur les prétendus états de santé / Au sujet des conditions de santé imaginaires
"Les gens bien portants sont des malades qui s'ignorent." / Les personnes en bonne santé sont des personnes qui, sans le savoir, sont en mauvaise santé. / Ceux qui n'ont pas de maladies, ont en réalité des maladies, mais ils ne le savent pas.
je n'ai fait mes études médicales qu'assez / j'ai seulement commencé à étudier la médecine assez / je me suis inscrit à la Faculté de médecine relativement
j'ai toujours eu la vocation de / j'ai toujours été attiré par / j'ai toujours eu du goût pour
m'ont rendu familier avec / m'ont appris
de bonne heure / assez tôt dans la vie / lorsque j'étais fort jeune
un fatras scientifique / une masse incohérente de mots et d'idées
un sentiment médical correct / une juste notion de la médecine / des opinions pleines de sagacité sur la science médicale
serait curieux de / voudrait bien / a envie de
sur ce sujet / à ce propos
garde un silence prudent / se tait par prudence / ne divulgue pas ses secrets
donne rendez-vous à son prédécesseur / demande à son prédécesseur de venir le retrouver
dans trois mois / au bout de trois mois / trois mois plus tard
pour votre première échéance / afin de recevoir votre premier paiement

mais très rude, les nouveau-nés chétifs meurent dans les six premiers mois et ceux qui survivent sont des gaillards durs à cuire. Il y a sans doute pas mal de rhumatisants, mais qui n'auraient pas l'idée d'aller chez le médecin pour un rhumatisme. Nous avons aussi des apoplectiques, et des cardiaques; mais ils ne s'en doutent pas une seconde et meurent subitement vers la cinquantaine. Il y a aussi de temps en temps des gens qui sont atteints d'une mauvaise grippe, d'une pleurésie ou d'une fièvre typhoïde, mais ils n'appellent en général le médecin que quand ils sont sur le point de rendre le dernier soupir. Ainsi, voyez-vous, mon cher confrère, vous pourrez mener ici une vie agréable et indépendante...

Le docteur Knock est désagréablement surpris et fort déçu par cette perspective; pourtant, si peu favorable que paraisse la situation, il ne se laisse pas décourager, car il a hâte d'appliquer sa méthode. Il a en effet une méthode, personnelle et très originale. D'ailleurs, il n'a pas pour but de gagner de l'argent, mais seulement de mettre ses idées en pratique. Il apprend aux Parpalaid que, bien qu'il exerce la médecine depuis déjà une vingtaine d'années, il n'a reçu son titre de docteur que récemment:

—Je n'ai passé ma thèse de doctorat que l'été dernier. Le sujet en était *Sur les prétendus états de santé*, avec cette épigraphe que j'ai attribuée à Claude Bernard: «Les gens bien portants sont des malades qui s'ignorent.» Car si je n'ai fait mes études médicales qu'assez tard, j'ai toujours eu la vocation de la médecine. Depuis mon enfance, j'ai toujours lu avec passion les annonces médicales et pharmaceutiques des journaux, ainsi que les prospectus que je trouvais enroulés autour des boîtes de pilules et flacons de sirop qu'achetaient mes parents. Ces textes m'ont rendu familier de bonne heure avec le style de la profession médicale. Mais surtout ils m'ont laissé deviner le véritable esprit et la véritable destination de la médecine, que l'enseignement des Facultés dissimule sous un fatras scientifique. Je puis dire qu'à douze ans j'avais déjà un sentiment médical correct; ma méthode actuelle en est sortie.

Le docteur Parpalaid avoue qu'il serait curieux de connaître cette méthode, mais Knock garde sur ce sujet un silence prudent; il donne simplement rendez-vous à son prédécesseur:

—Revenez dans trois mois, pour votre première échéance, et

vous verrez où j'en suis / vous vous rendrez compte de ce que j'aurai fait / vous jugerez des résultats que j'aurai obtenus
j'ai une hâte incroyable / je suis extrêmement pressé

À peine installé / Immédiatement après son arrivée
son nouveau poste / sa nouvelle place
le charge / lui donne la responsabilité / lui demande
tout de suite / sans tarder / immédiatement / à l'instant même
faire une annonce / proclamer / annoncer
le texte que voici: / le message suivant: / l'annonce qui suit:
présente ses compliments à / salue
a l'honneur de lui faire connaître / est heureux de lui faire savoir
dans un esprit philanthropique / dans le dessein de venir en aide à la population
envahissent / se répandent dans
donnera une consultation gratuite / examinera sans se faire payer
exprime sa reconnaissance au / remercie le
profite de l'occasion / saisit l'occasion
recevoir de lui une consultation gratuite / se faire examiner sans donner un sou
s'empresse / se hâte
son tour de ville / sa tournée des places publiques de la ville
le résultat ne se fait pas attendre / l'effet de cet appel n'est pas long à se produire
justement / précisément
jour de marché / jour où on vend des produits sur la place publique et où tous les habitants de la région sont venus en ville
l'antichambre se remplit / beaucoup de personnes accourent à la salle d'attente
en moins de rien / en très peu de temps / très rapidement
conférences et séances de cinéma / causeries scientifiques et projections de films
dresser un plan d'action commune / décider ensemble ce qu'ils comptent faire
comme le dit le docteur Knock / ainsi que le docteur Knock l'affirme
de premier ordre / excellent / de grande valeur
se montre enchanté / paraît très content / manifeste un grand plaisir
du temps de / à l'époque de

par occasion / rarement / de temps en temps

pour ainsi dire / en quelque sorte

lorsqu'ils tombent malades / quand ils deviennent malades / quand ils sont atteints de maladie

saisit cette occasion / profite de cette circonstance

dévoiler ses théories / révéler ses vues

vous verrez où j'en suis, car j'ai une hâte incroyable de mettre en pratique ma théorie et de faire commencer, à Saint-Maurice, l'âge médical.

À peine installé dans son nouveau poste, Knock convoque le tambour de ville et le charge tout de suite de faire à la population une annonce importante, dont il lui lit le texte que voici:

> Le docteur Knock, successeur du docteur Parpalaid, présente ses compliments à la population de la ville et du canton de Saint-Maurice et a l'honneur de lui faire connaître que, dans un esprit philanthropique et pour enrayer le progrès inquiétant des maladies de toutes sortes qui envahissent depuis quelques années nos régions si salubres autrefois, il donnera tous les lundis matin, de neuf heures trente à onze heures trente, une consultation entièrement gratuite, réservée aux habitants du canton.

Le tambour de ville exprime sa reconnaissance au docteur Knock et profite de l'occasion pour recevoir de lui une consultation gratuite; puis il s'empresse d'aller faire son tour de ville pour répandre la bonne nouvelle. Le résultat ne se fait pas attendre; comme c'est lundi et que ce jour-là est justement jour de marché, l'antichambre du docteur Knock se remplit en moins de rien.

Cependant le docteur Knock a convoqué l'instituteur et le pharmacien de Saint-Maurice; le premier, afin d'organiser une collaboration pour l'enseignement de l'hygiène et pour la propagande médicale dans les familles, avec causeries, conférences et séances de cinéma; le deuxième, pour dresser un plan d'action commune, car, comme le dit le docteur Knock lui-même, «un médecin qui ne peut pas s'appuyer sur un pharmacien de premier ordre est un général qui va à la bataille sans artillerie.» Le pharmacien se montre enchanté et offre au docteur son appui enthousiaste dans la lutte pour la santé publique; toutefois il avoue que, du temps de son prédécesseur, les malades étaient peu nombreux et que les habitants de Saint-Maurice n'étaient ses clients que par occasion; il n'avait, pour ainsi dire, aucun client régulier:

—Les gens n'entrent dans une pharmacie que lorsqu'ils tombent malades.

Le docteur Knock saisit cette occasion pour rassurer le pharmacien et lui dévoiler un peu plus clairement ses théories:

une vieille notion / une idée démodée / une conception surannée
ne tient plus / n'a plus de valeur
La santé n'est qu'un mot / La santé est une expression vide de sens
qu'il n'y aurait aucun inconvénient à rayer / qu'on pourrait supprimer sans regret
plus ou moins / à quelque degré / dans une certaine mesure
atteints de maladies / malades
vous allez leur dire / vous leur faites croire / vous leur assurez
se portent bien / sont en bonne santé / ne sont pas malades / vont bien
ne demandent qu'à vous croire / sont prêts à partager votre avis / s'empressent d'accepter votre affirmation
de tout son pouvoir / le mieux qu'il pourra / par tous les moyens

Tout de suite / Immédiatement
dans la force de l'âge / robuste / vigoureuse
se plaint d'éprouver de la fatigue / dit qu'elle est très fatiguée
manquer d'appétit / ne pas avoir faim
lui fait tirer la langue / lui examine la langue
lui percute le dos / lui explore le dos par petits chocs / l'ausculte
quand elle était petite / lorsqu'elle était encore enfant
pourtant, si / mais c'est bien ça / oui, au contraire
je crois bien / il me semble

Comment se fait-il que vous ne soyez pas venue . . .? / Alors, pourquoi n'êtes-vous pas venue. . .? / N'est-il pas surprenant que vous ne soyez pas venue . . .?
consulter / voir / vous faire examiner par

sans s'en douter / sans le savoir
peut avoir des conséquences funestes / pourrait être fatal
la renvoie chez elle / la fait rentrer / lui ordonne de retourner à la maison
se coucher / se mettre au lit / s'aliter
ne prendre aucune alimentation solide / ne rien manger / se mettre à la diète hydrique
d'aller la voir bientôt / de passer chez elle sous peu
d'allure distinguée / au maintien plein de dignité / qui n'a pas l'air vulgaire
dont la famille remonte au / dont l'arbre généalogique va jusqu'au / qui connaît l'identité de ses ancêtres depuis le
d'emblée / du premier coup
lui faire une visite de politesse / lui souhaiter la bienvenue dans sa nouvelle résidence

—Tomber malade, lui dit-il, est une vieille notion qui ne tient plus devant les données de la science actuelle. La santé n'est qu'un mot, qu'il n'y aurait aucun inconvénient à rayer de notre vocabulaire. Pour ma part, je ne connais que des gens plus ou moins atteints de maladies plus ou moins nombreuses, à l'évolution plus ou moins rapide. Naturellement, si vous allez leur dire qu'ils se portent bien, ils ne demandent qu'à vous croire. Mais vous les trompez. . .

Le pharmacien trouve évidemment que c'est une très belle théorie et promet au docteur Knock, en le quittant, de l'aider de tout son pouvoir.

Tout de suite après, la consultation gratuite commence. La première malade est une grosse dame dans la force de l'âge, qui possède une ferme assez importante aux environs; elle se plaint d'éprouver souvent de la fatigue et de manquer d'appétit. Le docteur lui fait tirer la langue, lui percute le dos, la palpe, puis lui demande si elle n'est jamais tombée d'une échelle, pendant sa jeunesse, ou quand elle était petite.

—Peut-être bien, docteur. . . Je n'en suis pas sûre. . . pourtant, si, je crois bien, en effet, être tombée d'une échelle. . . d'une échelle posée contre un mur. . .

—Comment se fait-il, madame, que vous ne soyez pas venue consulter le docteur Parpalaid?

—Mais, docteur, il ne donnait pas de consultations gratuites. . .

Le docteur Knock explique alors à la grosse dame qu'elle souffre, sans s'en douter, depuis une quarantaine d'années, d'un mal grave qui peut avoir des conséquences funestes. Il trace pour elle, au tableau noir, un dessin schématique de sa moelle épinière et la renvoie chez elle, terrorisée, après lui avoir ordonné de se coucher en arrivant à la maison, dans une chambre aux volets fermés et de ne prendre aucune alimentation solide pendant une semaine. Puis il lui promet d'aller la voir bientôt.

Knock reçoit ensuite une vieille dame d'allure distinguée, dont la famille remonte au treizième siècle; elle annonce d'emblée au docteur qu'elle n'est pas venue pour le consulter, mais pour lui faire une visite de politesse, pour le plaisir de faire sa connaissance et aussi pour encourager la population de Saint-Maurice à venir

venir chez elle / venir la voir
prendre une tasse de thé / assister à une petite réception, en fin d'après-midi
prendre congé / partir / dire au revoir

n'avait pas pris la chose au sérieux / n'y avait pas attaché d'importance

peuvent être dues à / sont peut-être causées par

ce qu'il a voulu dire / le sens de ses paroles

en train de vous grignoter la cervelle / qui vous ronge le cerveau à petits coups de dents

d'un air si assuré / si hardiment
est près de s'évanouir / est sur le point de perdre connaissance

enjoint / ordonne expressément
garder la chambre / rester au lit
rédige sa première ordonnance / indique par écrit les médicaments qu'elle doit prendre
deux gars / deux jeunes types / deux garçons vulgaires
jouer un bon tour au médecin / se moquer du docteur / tourner le médecin en ridicule
se retiennent de rire / s'efforcent de garder leur sérieux / font leur possible pour ne pas rire
clignent de l'œil / se font signe de l'œil
leur manège / leur manière de se conduire / leurs gestes et attitudes / leurs manœuvres
feint / fait semblant
fait entrer / invite à entrer / introduit dans son cabinet
commence l'examen d'un / se met à ausculter, à palper et à percuter l'un
fouiller / chercher quelque chose parmi beaucoup d'autres
cartons illustrés / dessins schématiques

montrer / faire voir
dans quel état sont / dans quelles conditions se trouvent

la moindre envie de rire / aucun désir de se moquer

consulter le docteur, pour lui donner le bon exemple, en quelque sorte; puis, elle l'invite à venir chez elle prendre une tasse de thé avec quelques amis. Pourtant, avant de prendre congé de Knock, elle ne peut s'empêcher de lui confier qu'elle souffre depuis très longtemps d'insomnies. Elle en avait parlé au docteur Parpalaid qui n'avait pas pris la chose au sérieux. Le docteur Knock, lui, prend la chose au sérieux; il explique à la vieille dame que ses insomnies peuvent être dues à des troubles exceptionnellement graves:

—Par exemple, lui dit-il, vos insomnies peuvent résulter d'une attaque profonde et continue de la substance grise par la névralgie!

Comme ce terme technique impressionne et inquiète un peu la visiteuse, le docteur Knock, lui explique obligeamment ce qu'il a voulu dire:

—Représentez-vous un crabe, ou un poulpe, ou une gigantesque araignée en train de vous grignoter, de vous suçoter, de vous déchiqueter doucement la cervelle. . .

À ces mots la vieille dame, qui était entrée d'un air si assuré, est près de s'évanouir d'horreur. Knock la renvoie chez elle et, comme il l'avait fait pour la grosse fermière, il lui enjoint de garder la chambre, en attendant sa visite prochaine, et rédige pour elle sa première ordonnance.

Les deux malades suivants sont deux gars du village qui sont très probablement venus pour jouer un bon tour au nouveau médecin. Ils se retiennent de rire, clignent de l'œil, et leur manège amuse la foule qui attend dans l'antichambre. Knock feint de ne rien remarquer; il les fait entrer. Puis il commence l'examen d'un des deux garçons. Il tourne autour de lui, le palpe, le percute, l'ausculte, projette la lueur aveuglante d'un réflecteur sur le visage du gars, sur ses yeux, au fond de sa gorge. Puis il va fouiller dans un coin de la pièce et en rapporte de grands cartons illustrés qui représentent les principaux organes chez l'alcoolique avancé et chez l'homme normal.

—Je vais vous montrer, dit-il, dans quel état sont vos organes. Voilà les reins d'un homme ordinaire. Voici les vôtres. Voici votre foie. Voici votre cœur.

Les deux gars n'ont plus la moindre envie de rire et quand ils

avec des mines hagardes / montrant des visages effarés
frappée de stupeur / médusée
jour pour jour / exactement
toucher sa première échéance / être payé
dès son retour / aussitôt qu'il est arrivé

c'est un jour ordinaire / c'est une journée comme les autres / ce n'est pas un jour de foire
tout ce monde / tous ces gens
n'en revient pas / en est très surpris
n'arrive pas à comprendre / ne parvient pas à s'expliquer
en trois mois / dans l'espace de trois mois
augmenter dans de telles proportions / s'agrandir à tel point / prendre une expansion si considérable
À ce moment-là / C'est alors que

les amener à l'existence médicale / les rendre conscients du besoin de se faire soigner
Je les mets au lit / Je leur ordonne de se coucher
ce qui va pouvoir en sortir / ce qui en résultera / quelle maladie je pourrai diagnostiquer
ce qu'on voudra / n'importe quoi
bon Dieu! / bon sang de bon sang! / sapristi! / que diable!
ne m'agace comme / ne m'irrite comme / ne m'énerve autant que
cet être ni chair ni poisson / cet individu sans caractère / cette personne indéterminée
un homme bien portant / une personne en bonne santé
prenne un air de provocation / se mette à défier la science médicale

C'est le seul dont je me préoccupe / Il n'y a que celui-là qui m'intéresse

le dessein d'assurer / l'intention de garantir
«le triomphe de la médecine» / la victoire de la science médicale

dans la mesure du possible / autant que possible
rendre la vie plus supportable / faire que la vie devienne plus tolérable
comme le lui reproche son successeur / suivant le blâme que son successeur lui adresse
ne croyait pas en la médecine / ne plaçait pas la médecine au-dessus de tout / n'avait pas foi en la toute-puissance de la médecine
la vie ne peut avoir qu'un sens / la seule raison d'être, c'est / le seul but de l'existence est

sortent, matés, avec des mines hagardes, épouvantées, ils traversent la foule maintenant silencieuse et frappée de stupeur.

Trois mois, jour pour jour, après les débuts du docteur Knock, le docteur Parpalaid revient à Saint-Maurice pour toucher sa première échéance. Il est surpris, dès son retour, par l'activité insolite qui règne au Grand-Hôtel. Il se demande si c'est un jour de foire et si tous ces gens sont des voyageurs ou des marchands. Mais non, c'est un jour ordinaire et tout ce monde qui circule, ce sont des malades et des infirmières.

Le docteur Parpalaid n'en revient pas et n'arrive pas à comprendre comment le nombre de malades a pu, en trois mois, augmenter dans de telles proportions. À ce moment-là, survient le docteur Knock, qui lui explique qu'il a simplement appliqué sa méthode, qu'il a mis en pratique ses théories:

—Vous m'aviez donné, mon cher confrère, un canton peuplé de quelques milliers d'individus neutres, indéterminés. Mon rôle, c'est de les déterminer, de les amener à l'existence médicale. Je les mets au lit et je regarde ce qui va pouvoir en sortir: un tuberculeux, un névropathe, un artérioscléreux, ce qu'on voudra, mais quelqu'un, bon Dieu! quelqu'un. Rien ne m'agace comme cet être ni chair ni poisson que vous appelez un homme bien portant... Ce que je n'aime pas, c'est que la santé prenne un air de provocation...

—Mais, objecte le docteur Parpalaid, dans votre méthode, l'intérêt du malade n'est-il pas un peu subordonné à celui du médecin?

—Vous oubliez, lui répond Knock, qu'il y a un intérêt supérieur à ces deux-là: celui de la médecine. C'est le seul dont je me préoccupe.

Ainsi, dans le dessein d'assurer le «triomphe de la médecine», le docteur Knock a mis au lit presque toute la population de Saint-Maurice et des environs. Le docteur Parpalaid exerçait son métier avec compétence, avec conscience; ce n'était ni un charlatan, ni un malhonnête homme. Il estimait que le devoir du médecin est, dans la mesure du possible, de rendre la vie plus supportable, plus agréable. Mais, comme le lui reproche son successeur, il ne croyait pas en la médecine, tandis que le docteur Knock, lui, croit en elle. Selon lui, la vie ne peut avoir qu'un sens, le sens médical. Ce n'est

bien plus dangereux / beaucoup plus malfaisant / capable de faire bien plus de mal

a plus d'attrait / charme davantage / plaît mieux

entraîne l'adhésion / excite le fanatisme / gagne les suffrages
Ainsi les hommes se laissent-ils / C'est ainsi que le genre humain se laisse *réduire en esclavage* / assujettir / soumettre / asservir

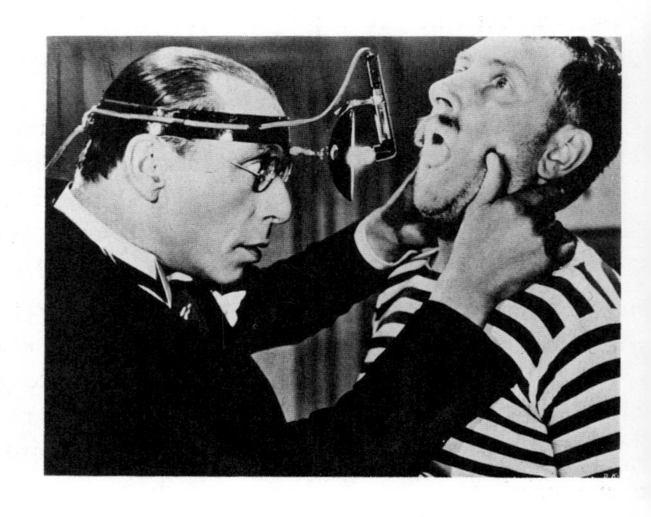

pas, comme les médecins de Molière, un ignorant pédantesque, ni un voleur; c'est un type d'homme bien plus dangereux que ces fantoches, c'est un fanatique.

L'histoire du docteur Knock est, selon Jules Romains, une démonstration de l'imposture parmi les hommes; et l'imposture a souvent plus d'attrait que la vérité pour la conscience commune; elle entraîne l'adhésion et l'enthousiasme. Ainsi les hommes se laissent-ils souvent réduire en esclavage; ainsi sacrifient-ils avec joie leur liberté et leur vie pour des mythes et des idoles que leur proposent les dictateurs.

Questionnaire

1. Qui est-ce que le docteur Parpalaid est venu accueillir à la gare?
2. Quelle sorte de paysage la voiture traverse-t-elle pour aller à Saint-Maurice?
3. Sur quoi Knock pose-t-il des questions à son prédécesseur?
4. Qu'arrive-t-il aux nouveau-nés dans ce climat salubre mais très rude?
5. Quel genre de malades y trouve-t-on en assez grand nombre?
6. Quand les malades appellent-ils généralement le médecin, selon le docteur Parpalaid?
7. Pourquoi le Dr Knock ne se laisse-t-il pas décourager?
8. Quel est le but principal du Dr Knock?
9. Quel était le titre de la thèse de Knock?
10. Qu'est-ce que Knock avait toujours lu avec passion, depuis son enfance?
11. D'après Knock, de quoi est sortie sa méthode actuelle?
12. Que dit Knock, quand le Dr Parpalaid se montre curieux de connaître cette méthode?
13. Pour quelle raison Knock convoque-t-il le tambour de ville?
14. Quel est le texte de l'annonce du Dr Knock?
15. Quel résultat l'annonce produit-elle?
16. Pourquoi Knock convoque-t-il aussi l'instituteur et le pharmacien?

17. Qu'est-ce que le pharmacien avoue toutefois?
18. De quelle façon le Dr Knock dévoile-t-il plus clairement sa théorie au pharmacien?
19. Qui est la première malade, venue pour la consultation gratuite?
20. Qu'est-ce que le docteur lui fait?
21. Pourquoi cette grosse dame n'avait-elle jamais consulté le Dr Parpalaid?
22. Qu'est-ce que le Dr Knock explique alors à la grosse dame?
23. En la renvoyant chez elle, qu'est-ce que le docteur lui ordonne de faire?
24. Qui vient ensuite faire une visite de politesse au docteur?
25. Que confie-t-elle au docteur avant de prendre congé?
26. Comment le docteur Knock explique-t-il obligeamment à la visiteuse ce qu'il a voulu dire?
27. Dans quelle intention les deux gars du village sont-ils probablement venus?
28. Que dit le docteur aux deux garçons, au sujet des principaux organes chez l'alcoolique avancé?
29. De quoi le Dr Parpalaid est-il surpris, dès son retour, trois mois plus tard?
30. Comment le Dr Knock a-t-il mis ses théories en pratique?
31. Qu'a fait le Dr Knock dans le dessein d'assurer le «triomphe de la médecine»?
32. Qu'est-ce que le Dr Parpalaid estimait être le devoir du médecin?
33. Quel type d'homme représente le Dr Knock, en contraste avec les médecins de Molière?
34. Que voulait démontrer Jules Romains en écrivant cette comédie?

EXERCICES

1. (a) La gare *se trouve* à une distance de onze kilomètres.
   (b) La gare *est située* à une distance de onze kilomètres.
   A. Où est située la ville d'Orléans?
   B. ———

2. (a) Ils se mettent *tant bien que mal* en route vers Saint-Maurice.
   (b) Ils se mettent, *comme ci, comme ça,* en route vers Saint-Maurice.
   A. Il s'est guéri, comme ci, comme ça, de sa grippe.
   B. ———

3. (a) Il y a *de temps en temps* des gens qui sont atteints de la grippe.
   (b) Il y a *quelquefois* des gens qui sont atteints de la grippe.
   A. Je vais quelquefois à l'opéra.
   B. ———

4. (a) Le docteur Knock *a hâte* d'appliquer sa méthode.
   (b) Le docteur Knock *est pressé* d'appliquer sa méthode.
   A. Ne perdons pas notre temps; je suis pressé de partir.
   B. ———

5. (a) L'antichambre du docteur se remplit en *moins de rien.*
   (b) L'antichambre du docteur se remplit en *très peu de temps.*
   A. Dépêchons-nous: nous aurons fini en très peu de temps.
   B. ———

6. (a) Vous leur dites qu'ils *se portent bien.*
   (b) Vous leur dites qu'ils *sont en bonne santé.*
   A. Il vient d'avoir la grippe, mais maintenant il est en bonne santé.
   B. ———

7. (a) *Je crois bien* être tombée d'une échelle.
   (b) *Il me semble* être tombée d'une échelle.
   A. Il me semble avoir déjà vu ce film.
   B. ———

8. (a) Ses insomnies *sont dues à* des troubles graves.
   (b) Ses insomnies *sont causées par* des troubles graves.
   A. L'incendie a été causé par votre imprudence.
   B. ———

9. (a) Le docteur Parpalaid *n'en revient pas.*
   (b) Le docteur Parpalaid *en est très surpris.*
   A. Comme il a changé! J'en suis très surpris.
   B. ———

qui font le sujet de / dont on parle dans / qui seront traités dans / dont il est question dans
se sont produits / se sont passés / ont eu lieu / sont arrivés
Sur le moment / À l'instant même / Tout d'abord / Au début
n'y prit pas garde / n'y fit pas attention / n'y attacha pas d'importance
une fois dans la rue / lorsqu'il fut dans la rue / après être sorti de la maison / quand il eut passé la porte
se rendit compte / comprit nettement / s'aperçut clairement
revint sur ses pas / retourna en arrière / rentra dans la maison / refit le chemin en sens inverse
tout d'abord / sur le moment / au début / pour commencer
s'était trompé / avait fait erreur / était victime d'une méprise
ce devait être / c'était sans doute / il s'agissait probablement de
le soir même / ce soir-là

Le Docteur Rieux

Albert Camus, né en Algérie le 7 novembre 1913, a été tué dans un accident d'automobile le 4 janvier 1960. Il a publié *la Peste,* roman allégorique, en 1947. C'est l'histoire de la lutte que doivent toujours entreprendre les hommes, à n'importe quelle époque, contre la souffrance et contre la mort; c'est le combat qu'ils doivent sans cesse livrer, pour le bonheur et la justice.

Les événements qui font le sujet de cette chronique se sont produits en 194., à Oran.

Le matin du seize avril, le docteur Bernard Rieux, en sortant de son cabinet, remarqua, sur le palier du premier étage, un rat mort. Sur le moment, il n'y prit pas garde, mais, une fois dans la rue, il se rendit compte que la présence de ce rat était étrange et il revint sur ses pas pour avertir le concierge. Celui-ci répondit tout d'abord que c'était impossible, que le docteur s'était trompé, car il n'y avait pas de rats dans la maison; ou bien que ce devait être une farce: quelqu'un avait apporté ce rat mort et l'avait posé sur le palier.

Mais le soir même, en rentrant chez lui, dans le corridor de

s'avancer vers lui / venir dans sa direction / venir à sa rencontre
tomba à ses pieds / s'affaissa devant lui / s'abattit tout près de lui

Je finirai bien par / Un jour ou l'autre, j'arriverai sûrement à
les pincer / les attraper / leur mettre la main dessus
s'écria-t-il / s'exclama-t-il / dit-il avec indignation
aller visiter ses malades / aller voir ses patients / effectuer la tournée d'examen de ses clients
roulait à petite allure / avançait à une vitesse modérée / circulait doucement

les morts se multiplièrent / le nombre des morts augmenta / les morts devinrent de plus en plus nombreux
par deux ou trois / deux ou trois à la fois / en groupe de deux ou trois

s'inquiéter / se préoccuper / prendre peur
s'empara de l'affaire / fit beaucoup de bruit autour de l'affaire / s'occupa très activement de la question / lança une campagne à propos de ces événements
quelles mesures la municipalité envisageait de prendre / quelles étaient les intentions de la municipalité sur la marche à suivre / quelles dispositions les autorités locales avaient le projet d'adopter
s'aggravait / devenait pire / empirait
de jour en jour / chaque jour davantage / tous les jours en augmentant
une agence de renseignements et de documentation / un institut de statistiques
à son comble / à son plus haut degré / à son point culminant
aperçut au bout de la rue le concierge / vit de loin le portier à l'extrémité de la rue
marchait péniblement / avançait avec difficulté
libres penseurs / personnes sans croyance religieuse / athées
ne se sentait pas bien / était indisposé / ressentait un malaise
ressentait de violentes douleurs / éprouvait des souffrances aiguës
Couchez-vous / Mettez-vous au lit / Alitez-vous
prenez votre température / mettez le thermomètre pour savoir si vous avez la fièvre
dans un piteux état / en très mauvaise santé / dans une situation déplorable / très bas
avec peine / avec difficulté / péniblement
se plaignait de / disait qu'il ressentait des
confrères / collègues / camarades
rencontré des cas semblables / vu des symptômes analogues

l'immeuble, le docteur vit s'avancer vers lui un rat secoué de spasmes, qui tomba à ses pieds, le museau sanglant. Le lendemain matin, dix-sept avril, le concierge avertit le docteur qu'il avait trouvé trois rats morts au milieu du couloir, et que ces rats avaient certainement été apportés par des farceurs: «Je finirai bien par les pincer ! » s'écria-t-il.

Le docteur le quitta pour aller visiter ses malades, et décida de commencer par ceux qui demeuraient dans les quartiers pauvres. Comme sa voiture roulait à petite allure le long des trottoirs, il put compter dans les boîtes à ordures, parmi les épluchures et les papiers sales, une douzaine de rats morts.

Dans les jours qui suivirent, les morts se multiplièrent, et le concierge constata avec découragement et aussi avec résignation que, maintenant, «on les trouvait par deux ou trois . . . mais que c'était la même chose dans les autres maisons.»

Bientôt les habitants d'Oran commencèrent à s'inquiéter; le nombre de rongeurs augmentait rapidement; la presse s'empara de l'affaire et demanda quelles mesures la municipalité envisageait de prendre. La situation s'aggravait de jour en jour; le vingt-huit avril, une agence de renseignements et de documentation annonça qu'on avait ramassé huit mille rats morts; l'inquiétude était à son comble dans la ville.

Le même jour à midi, arrêtant sa voiture devant l'entrée de son immeuble, le docteur aperçut au bout de la rue le concierge qui marchait péniblement, appuyé sur le bras du Père Paneloux, un prêtre érudit et dévoué, très estimé dans la ville, même par les libres penseurs. Le vieux concierge ne se sentait pas bien et avait les yeux brillants de fièvre; il ressentait de violentes douleurs au cou et aux aisselles. Le docteur lui palpa brièvement le cou et lui ordonna: «Couchez-vous, prenez votre température, je viendrai vous voir cet après-midi.»

Ce soir-là, le docteur trouva son malade dans un piteux état: brûlant de fièvre, il respirait avec peine, il vomissait et se plaignait de brûlures internes. Le docteur était perplexe; n'osant pas encore identifier la maladie, il téléphona à un de ses confrères, un des médecins les plus importants de la ville, pour lui demander s'il avait rencontré des cas semblables; l'autre lui répondit *il n'avait rien vu d'extraordinaire* / il n'avait rien remarqué d'anormal / aucun fait étrange ne l'avait frappé

le seul à être emporté par cette maladie / la seule personne qui succomba à cette maladie

se réunirent / s'assemblèrent

échangèrent des vues / discutèrent les différents aspects du problème / échangèrent des idées sur la question

il s'agissait d'une / on se trouvait en face d'une

C'est à peine croyable / Il est difficile de le croire / C'est difficile à croire

il semble bien que ce soit / on dirait vraiment / cela a bien l'air de

il fut pour quelques instants assailli par des images épouvantables / des scènes atroces surgirent pendant un moment dans l'imagination de Rieux / il fut momentanément tourmenté par des visions horribles

se rassura vite / reprit vite confiance / se tranquillisa bientôt

il fallait se mettre tout de suite à la tâche / il était urgent de se mettre à l'œuvre / on devait sans attendre passer à l'action

L'essentiel était / Le principal était / Ce qui comptait, c'était

ne pas être pris de panique / ne pas s'affoler / garder son sang-froid

il s'agissait de / il fallait donc

bien faire son métier / faire consciencieusement son devoir / exercer sa profession de son mieux

prit de telles proportions / s'étendit si vite

à une telle allure / si rapidement

le préfet reçut l'ordre / on donna aux autorités régionales l'instruction formelle

déclarer l'état de peste / proclamer l'état d'urgence

eurent l'impression d'être / se sentirent / éprouvèrent la sensation qu'ils étaient

cherchèrent à / tentèrent de / essayèrent de

des parents, des êtres aimés / des membres de leur famille, des personnes qu'ils aimaient

faisait des victimes de plus en plus nombreuses / emportait un nombre sans cesse grandissant de malades

des êtres chers / des êtres aimés / des personnes qu'ils aimaient

la peur, l'angoisse, l'épouvante s'emparèrent de la population / les habitants furent pris de panique / l'effroi gagna la ville

un sermon retentissant / une harangue foudroyante

assisté / secouru / donné des soins à

L'église était remplie de fidèles / Les paroissiens étaient accourus à la messe en grand nombre

vous êtes dans le malheur, vous l'avez mérité / votre malheur est une punition pour vos fautes / c'est vous qui êtes responsables de votre détresse

tout de suite après / sans plus attendre

cita le texte de l'Exode / rapporta le passage de l'Ancien Testament

relatif à / ayant trait à / où est racontée

qu'il n'avait «rien vu d'extraordinaire.» Le lendemain, le concierge mourut dans d'atroces souffrances.

Le vieil homme ne fut pas le seul à être emporté par cette maladie aux symptômes mystérieux et redoutables. En quelques jours, une vingtaine de malades moururent de ce mal curieux; les médecins d'Oran se réunirent, échangèrent des vues et déclarèrent qu'il s'agissait d'une véritable épidémie.

En comparant les symptômes de la maladie dont était mort le vieux concierge à ceux qu'avaient énumérés ses confrères, le docteur Rieux remarqua: «C'est à peine croyable, mais il semble bien que ce soit la peste.» C'est à ce moment-là que le mot «peste» fut prononcé pour la première fois. Le docteur fut pour quelques instants assailli par des images épouvantables qui évoquaient les épidémies de peste dont parle l'histoire, celle de Londres, celle de Marseille, celle de Constantinople; mais il se rassura vite: il fallait se mettre tout de suite à la tâche. Lutter contre la maladie était sa profession. L'essentiel était donc de ne pas être pris de panique, il s'agissait de bien faire son métier.

Mais l'épidémie prit bientôt de telles proportions et le chiffre des morts augmenta à une telle allure, que le préfet du département d'Oran reçut l'ordre de déclarer l'état de peste et de fermer la ville. Dès lors, les habitants eurent l'impression d'être emprisonnés: certains cherchèrent à s'évader, à rejoindre, loin de la ville maudite, des parents, des êtres aimés dont la peste les avait séparés. Comme l'épidémie faisait maintenant des victimes de plus en plus nombreuses, comme tous les plaisirs simples et normaux d'autrefois étaient maintenant interdits; comme chacun voyait autour de soi des êtres chers torturés, martyrisés, emportés par la maladie, la peur, l'angoisse, l'épouvante même s'emparèrent de la population.

Ce premier mois de la peste fut marqué, un dimanche matin, par un sermon retentissant du Père Paneloux, le prêtre qui avait assisté le vieux concierge dans les premiers moments de sa maladie. L'église, ce jour-là, était remplie de fidèles; d'une voix forte, le prédicateur commença son exorde par ces mots: «Mes frères, vous êtes dans le malheur, mes frères, vous l'avez mérité!» Puis tout de suite après, il cita le texte de l'Exode relatif à la peste en Égypte et dit:

s'oppose aux desseins éternels / fait obstacle aux plans divins
tomber à genoux / se prosterner
le fléau de Dieu / la colère du Seigneur
met à ses pieds / punit / fait tomber à genoux
c'est le moment de / il est temps de / il faut maintenant
les méchants ont raison de trembler / les pécheurs font bien de trembler / les mauvais doivent avoir peur
a composé avec / a pactisé avec
s'est reposé sur / s'en est remis à / a compté sur
cela ne pouvait durer / il fallait que cela finisse / cela ne pouvait pas continuer
a penché sur les hommes de cette ville son visage de pitié / a été indulgent envers les habitants de cette ville
déçu / désappointé
détourner son regard / se désintéresser de nous
sur une note consolante / par des paroles réconfortantes / par des mots d'espoir

les mèneraient dans la voie / les guideraient dans le chemin

À quelque temps de là / Un peu plus tard
ce qu'il pensait du / son opinion sur le
J'ai trop vécu dans les hôpitaux pour aimer / J'ai tellement fréquenté les hôpitaux que je n'aime pas

meilleurs / plus humains / plus généreux / plus charitables

sa bienfaisance / son bon côté / quelque chose de bon

servir à / être utile pour

se résigner / se soumettre / accepter
s'il croyait en Dieu / s'il était pieux / s'il avait la foi
que non / qu'il n'y croyait pas / qu'il n'avait pas la foi
Lui laissant alors ce soin / confiant cette tâche à Dieu / laissant au Seigneur la charge de guérir les hommes
pas même le Père Paneloux / ni le Père Paneloux non plus

La première fois que ce fléau apparaît dans l'histoire, c'est pour frapper les ennemis de Dieu. Pharaon s'oppose aux desseins éternels et la peste le fait alors tomber à genoux. Depuis le début de toute l'histoire, le fléau de Dieu met à ses pieds les orgueilleux et les aveugles. Méditez cela et tombez à genoux... Si, aujourd'hui, la peste vous regarde, c'est le moment de réfléchir. Les justes ne peuvent craindre cela, mais les méchants ont raison de trembler... Trop longtemps, ce monde a composé avec le mal, trop longtemps il s'est reposé sur la miséricorde divine... Eh bien! cela ne pouvait durer. Dieu qui, pendant si longtemps, a penché sur les hommes de cette ville son visage de pitié, lassé d'attendre, déçu dans son éternel espoir, vient de détourner son regard. Privés de la lumière de Dieu, nous voici pour longtemps dans les ténèbres de la peste...

Le Père Paneloux voulut pourtant finir son sermon sur une note consolante; aussi, en terminant, il expliqua aux fidèles que la volonté divine transformerait le mal en bien et que les souffrances et les chagrins causés par l'épidémie les mèneraient dans la voie de la vérité et du salut.

À quelque temps de là, Tarrou, un des collaborateurs du docteur, lui demanda ce qu'il pensait du sermon du Père Paneloux.

—J'ai trop vécu dans les hôpitaux, lui répondit Rieux, pour aimer l'idée de punition collective. Mais, vous savez, les chrétiens parlent quelquefois ainsi, sans le penser jamais réellement. Ils sont meilleurs qu'ils ne paraissent.

—Pourtant, repartit Tarrou, vous pensez comme Paneloux, que la peste a sa bienfaisance, qu'elle ouvre les yeux, qu'elle force à penser!

—Comme toutes les maladies de ce monde, reprit le docteur. Mais ce qui est vrai des maux de ce monde est vrai aussi de la peste. Cela peut servir à grandir quelques-uns. Cependant, quand on voit la misère et la douleur qu'elle apporte, il faut être fou, aveugle ou lâche pour se résigner à la peste.

Et comme Tarrou lui demandait s'il croyait en Dieu, il lui répondit que non, que d'ailleurs, s'il croyait en un Dieu tout-puissant, il cesserait de guérir les hommes, Lui laissant alors ce soin. Mais que personne au monde, pas même le Père Paneloux, ne

ne s'abandonnait / ne remettait totalement sa destinée entre les mains de Dieu

croyait être sur le chemin de la vérité / se croyait sur la bonne voie

telle qu'elle était / dans l'état où elle se trouvait

Pour le moment / Pour l'instant / À présent
il faut les guérir / nous devons leur redonner la santé
le plus pressé / ce qui est le plus important / ce qui compte avant tout
comme je peux / autant qu'il m'est possible

se retrouvèrent au chevet d'un malade / furent de nouveau réunis auprès du lit d'un malade

ancienne salle de classe / salle où les élèves suivaient autrefois la classe

essayer sur lui / lui injecter, à titre d'essai

venait de recevoir / avait reçu peu de temps auparavant
son cas était désespéré / il était dans un état très grave / on ne croyait pas qu'il guérirait

frappait au hasard / s'attaquait sans choisir à

bien entendu / évidemment / naturellement

en effet / vraiment / en réalité
c'est-à-dire / en d'autres termes
jusque-là / jusqu'à ce moment-là
se scandalisaient / ressentaient de l'indignation / étaient choqués
regardé en face / vu de près / contemplé de près
s'approcha / vint à côté / se mit tout près

fit le geste de la bénédiction / bénit / donna la bénédiction

vous le savez bien! / vous savez que c'est vrai! / vous êtes bien au courant de cela!
se laissa tomber / s'affala / s'assit avec découragement

le rejoignit / alla de nouveau vers lui

m'avoir parlé / vous êtes-vous adressé à moi / m'avez-vous adressé la parole

lui répondit le docteur / répliqua le docteur au Père Paneloux

il y a des heures où je ne sens que / à certains moments, j'éprouve seulement

croyait totalement en un Dieu de cette sorte, puisque personne ne s'abandonnait totalement et qu'en cela du moins, lui, Rieux, croyait être sur le chemin de la vérité en luttant contre la création telle qu'elle était.

—Pour le moment, dit-il encore, il y a des malades et il faut les guérir. Ensuite, ils réfléchiront et moi aussi. Mais le plus pressé est de les guérir. Je les défends comme je peux, voilà tout.

Ce fut dans la dernière semaine d'octobre que le docteur Rieux et le Père Paneloux se retrouvèrent au chevet d'un malade: c'était un enfant, un petit garçon, qui avait été transporté à l'hôpital auxiliaire, dans une ancienne salle de classe où l'on avait installé des lits. Le docteur décida d'essayer sur lui le sérum que l'on venait de recevoir; mais son cas était désespéré et malgré tous les efforts de Rieux et de ses aides, l'enfant mourut après d'interminables et d'atroces souffrances. Rieux et ses assistants avaient déjà vu mourir des enfants depuis des mois, puisque la peste frappait au hasard des gens de tous les âges, mais ils n'avaient pas suivi leurs souffrances, minute par minute, comme ils le faisaient depuis ce matin-là. Et, bien entendu, la douleur infligée à ces innocents n'avait jamais cessé de leur paraître ce qu'elle était en effet, c'est-à-dire un scandale. Mais jusque-là du moins, ils se scandalisaient en quelque sorte abstraitement parce qu'ils n'avaient jamais regardé si longuement en face l'agonie d'un innocent.

Après la mort du petit garçon, le Père Paneloux s'approcha du lit et fit le geste de la bénédiction, puis il quitta la salle. Le docteur Rieux sortit à son tour et, se tournant vers le prêtre, il lui cria avec violence:

—Ah, celui-là, au moins, était innocent, vous le savez bien!

Puis il gagna le fond de la cour d'école. Il se laissa tomber sur un banc, épuisé de fatigue, en regardant le ciel bleu entre les branches des arbres. Le Père Paneloux le rejoignit et lui demanda:

—Pourquoi m'avoir parlé avec cette colère? Pour moi aussi, ce spectacle était insupportable.

—C'est vrai, lui répondit le docteur. Pardonnez-moi. Mais la fatigue est une folie. Et il y a des heures dans cette ville où je ne sens plus que ma révolte.

—Je comprends, murmura Paneloux. Cela est révoltant, parce

passe notre mesure / va au-delà de notre compréhension

se redressa / se remit droit / prit une attitude plus ferme
d'un seul coup / brusquement / soudain / tout d'un coup
secouant la tête / faisant de la tête un signe négatif
Je me fais une autre idée de l'amour / À mon avis, l'amour est tout autre chose / Je comprends l'amour bien autrement
jusqu'à la mort / toujours / jusqu'à mon dernier souffle / tant que je vivrai

je le sais / je comprends bien cela / j'en suis convaincu

au-delà des / plus loin que les

avait l'air / semblait être / paraissait

Je ne vais pas si loin / Je ne vise pas si haut

que vous le vouliez ou non / que cela vous plaise ou que cela ne vous plaise pas

se serraient la main / échangeaient une poignée de main

ne peut / ne peut pas / est incapable de

formations sanitaires / groupements d'infirmiers et de brancardiers
sévissait / faisait des ravages / terrorisait la population
se plaça / prit place / se mit
au premier rang des / en tête des
s'exposant au danger / défiant le péril / bravant les risques
Peu de temps après / Un peu plus tard
eut un accès de fièvre / fut pris d'une crise de fièvre
La fièvre monta / Sa température s'éleva
sans une plainte / sans gémir / sans s'être plaint

que cela passe notre mesure. Mais peut-être devons-nous aimer ce que nous ne pouvons pas comprendre.

Rieux se redressa d'un seul coup. Il regardait Paneloux avec la force et la passion dont il était capable et, secouant la tête:

—Non, mon père, dit-il. Je me fais une autre idée de l'amour. Et je refuserai jusqu'à la mort cette création où des enfants sont torturés.

Sur le visage de Paneloux, une ombre bouleversée passa.

—Ah, docteur, fit-il avec tristesse, je viens de comprendre ce qu'on appelle la grâce.

Mais Rieux s'était laissé aller de nouveau sur son banc; il répondit avec plus de douceur:

—C'est ce que je n'ai pas, je le sais. Mais je ne veux pas discuter cela avec vous. Nous travaillons ensemble pour quelque chose qui nous réunit au-delà des blasphèmes et des prières. Cela seul est important.

Paneloux s'assit près de Rieux. Il avait l'air ému.

—Oui, dit-il, oui, vous aussi travaillez pour le salut de l'homme.

Rieux essayait de sourire.

—Le salut de l'homme est un trop grand mot pour moi. Je ne vais pas si loin. C'est sa santé qui m'intéresse, sa santé d'abord. . . Ce que je hais, c'est la mort et le mal. . . Et, que vous le vouliez ou non, nous sommes ensemble pour souffrir et pour combattre.

Et comme ils se serraient la main, Rieux remarqua, avant de partir:

—Vous voyez, Dieu lui-même ne peut nous séparer.

Le Père Paneloux entra le jour même dans les formations sanitaires et ne quitta guère les hôpitaux et les endroits où sévissait la peste. Il se plaça au premier rang des sauveteurs, s'exposant constamment au danger. Peu de temps après, il eut un accès de fièvre et dut s'aliter. La fièvre monta, le malade fut secoué par la toux et, après une rapide agonie, le prêtre mourut, sans une plainte, en regardant le crucifix qu'il tenait entre les mains.

Pendant les quelques mois qui suivirent la mort du prêtre, la peste accentua ses ravages et sembla près d'exterminer la population de la ville tout entière. Puis, un beau matin, quelques rats

firent leur apparition / surgirent / apparurent
se communiquèrent / se transmirent
la bonne nouvelle / l'heureux renseignement
Il faut les voir courir! / Quel plaisir de les voir courir!
publiées / annoncées / que l'on faisait paraître
était en recul / diminuait / battait en retraite
très net / à vue d'œil / manifestement
était en vue / s'annonçait
avait l'impression que / pouvait croire que
était sortie / était allée dans la rue / était allée dehors
on récitait des actions de grâces / on remerciait le Seigneur

Tout le monde / La foule entière

au milieu des cris de joie / parmi les exclamations joyeuses / dans l'allégresse générale
rédiger une chronique / écrire l'histoire
de ceux qui se taisent / parmi les gens qui gardent leur secret / parmi ceux qui n'osent pas parler
témoigner en faveur de / dire du bien de / parler en bons termes de
qui leur avaient été faites / qu'on leur avait infligées / qu'ils avaient subies

ce qu'il avait fallu accomplir / ce qu'on avait dû faire / ce que le devoir avait imposé
sans doute / probablement

refusant d'admettre les fléaux / qui ne veulent pas accepter les calamités

foule en joie / multitude joyeuse
ignorait / ne savait pas

pendant des dizaines d'années / bien longtemps / pendant de longues années

le jour viendrait où / il arriverait qu'un jour

vivants firent leur apparition. Les voisins se communiquèrent la bonne nouvelle. «Il faut les voir courir! s'écria quelqu'un. C'est un plaisir.» En même temps le docteur Rieux put constater, en consultant les statistiques générales, publiées chaque semaine, que la maladie était en recul très net. La fin de la peste était en vue.

Les portes de la ville s'ouvrirent enfin. À midi, on avait l'impression que toute la population était sortie pour célébrer, dans la joie, la fin de l'horrible cauchemar. Toutes les cloches de la ville sonnaient. Dans les églises, on récitait des actions de grâces. Une foule animée se pressait aux terrasses des cafés; on dansait sur toutes les places. Tout le monde criait et riait; tout le monde voulait revenir vers le bonheur.

C'est au milieu des cris de joie que le docteur Rieux décida de rédiger une chronique de la peste.

Pour ne pas être de ceux qui se taisent, pour témoigner en faveur de ces pestiférés, pour laisser du moins un souvenir de l'injustice et de la violence qui leur avaient été faites et pour dire simplement ce qu'on apprend au milieu des fléaux, qu'il y a dans les hommes plus de choses à admirer que de choses à mépriser.

Mais il savait cependant que cette chronique ne pouvait pas être celle de la victoire définitive. Elle ne pouvait être que le témoignage de ce qu'il avait fallu accomplir, et que devraient sans doute accomplir encore, contre la terreur et son arme inlassable, malgré leurs déchirements personnels, tous les hommes qui, ne pouvant être des saints et refusant d'admettre les fléaux, s'efforcent cependant d'être des médecins.

Écoutant, en effet, les cris d'allégresse qui montaient de la ville, Rieux se souvenait que cette allégresse était toujours menacée. Car il savait ce que cette foule en joie ignorait, et qu'on peut lire dans les livres, que le bacille de la peste ne meurt ni ne disparaît jamais, et qu'il peut rester pendant des dizaines d'années endormi dans les meubles et le linge, qu'il attend patiemment dans les chambres, les caves, les malles, les mouchoirs et les paperasses, et que, peut-être, le jour viendrait où, pour le malheur et l'enseignement des hommes, la peste réveillerait ses rats et les enverrait mourir dans une cité heureuse.

Costume et masque "antiseptiques" des docteurs
(peste de Marseille, 1720)

Questionnaire

1. Qu'a remarqué le docteur Rieux en sortant de son cabinet, le matin du 16 avril?
2. Lorsque le docteur Rieux a averti le concierge, qu'est-ce que celui-ci lui a répondu?
3. Qu'est-ce que le concierge a trouvé, le lendemain matin?
4. Où le docteur a-t-il pu compter une douzaine de rats?
5. Pourquoi les habitants d'Oran ont-ils commencé à s'inquiéter?
6. Qui était le Père Paneloux?
7. Qu'est-ce que le docteur a ordonné au vieux concierge malade?
8. Dans quel état le docteur a-t-il trouvé son malade, ce soir-là?
9. Qu'est-il arrivé, après la mort du vieux concierge?
10. Qu'est-ce qui a amené le docteur Rieux à croire que c'était la peste?
11. Qu'est-ce que le mot «peste» a évoqué dans l'esprit du docteur?
12. Quel ordre le préfet du département d'Oran a-t-il reçu?
13. Qu'est-ce que certains habitants ont dès lors essayé de faire?
14. Par quels mots le Père Paneloux a-t-il commencé son sermon?
15. Quel texte, relatif à la peste en Égypte, le prêtre a-t-il cité?
16. Comment le Père Paneloux voulait-il terminer son sermon?
17. Qu'est-ce que le docteur Rieux pensait du sermon du Père Paneloux?
18. Quand on voit la misère et la douleur que la peste apporte, que faut-il être, d'après le docteur, pour s'y résigner?
19. Au chevet de quel malade le Père Paneloux et le docteur Rieux se sont-ils retrouvés en octobre?
20. Comment l'enfant est-il mort?

21. Pourquoi Rieux et ses aides se scandalisaient-ils abstraitement?
22. Qu'a fait le Père Paneloux après la mort du petit garçon?
23. Que devrions-nous aimer, selon le Père Paneloux?
24. Qu'a dit le docteur Rieux au sujet du «salut de l'homme»?
25. Où le Père Paneloux est-il entré le jour même?
26. Comment ce prêtre est-il mort?
27. Quel effet quelques rats vivants ont-ils produit, un beau jour, dans la ville?
28. Qu'est-ce que le docteur Rieux a pu alors constater?
29. Quelle impression avait-on quand les portes de la ville se sont enfin ouvertes?
30. Que faisait une foule animée?
31. Pourquoi le docteur Rieux a-t-il décidé de rédiger une chronique de la peste?
32. Qu'est-ce que le docteur Rieux savait du bacille de la peste, tandis que la foule en joie l'ignorait?

EXERCICES

1. (a) Ces événements *se sont produits* en 1940.
   (b) Ces événements *se sont passés* en 1940.
   A. Des incidents regrettables pourraient se passer.
   B. ———

2. (a) Le concierge répondit *tout d'abord* que c'était impossible.
   (b) Le concierge répondit, *pour commencer*, que c'était impossible.
   A. Pour commencer, on servira des hors-d'œuvre.
   B. ———

3. (a) Il répondit que *ce devait être* une farce.
(b) Il répondit que *c'était probablement* une farce.
A. Il a beaucoup travaillé et il est probablement riche aujourd'hui.
B. ———

4. (a) Le concierge *ne se sentait pas bien.*
(b) Le concierge *était indisposé.*
A. Excusez-moi d'avoir manqué la classe: j'étais indisposé.
B. ———

5. (a) Le chiffre des morts augmenta *à une telle allure* que le préfet déclara l'état de peste.
(b) Le chiffre des morts augmenta *si rapidement* que le préfet déclara l'état de peste.
A. Le professeur parlait si rapidement que les étudiants ne comprenaient rien.
B. ———

6. (a) C'est vrai, *répondit* le docteur.
(b) C'est vrai, *répliqua* le docteur.
A. Quand je lui ai posé la question, il n'a rien répliqué.
B. ———

7. (a) Il *avait l'air* ému.
(b) Il *paraissait* ému.
A. Paul a paru surpris de la bonne nouvelle.
B. ———

ne peuvent pas se dissocier / ne font qu'un
identifié à / pénétré des sentiments de

comme on l'appelait / ainsi qu'on le nommait

pris part à la guerre / participé aux hostilités

Sa vocation d'aviateur s'affirma de bonne heure / Son penchant pour l'aviation se manifesta très tôt dans la vie

surmonter de nombreux obstacles / vaincre bien des difficultés

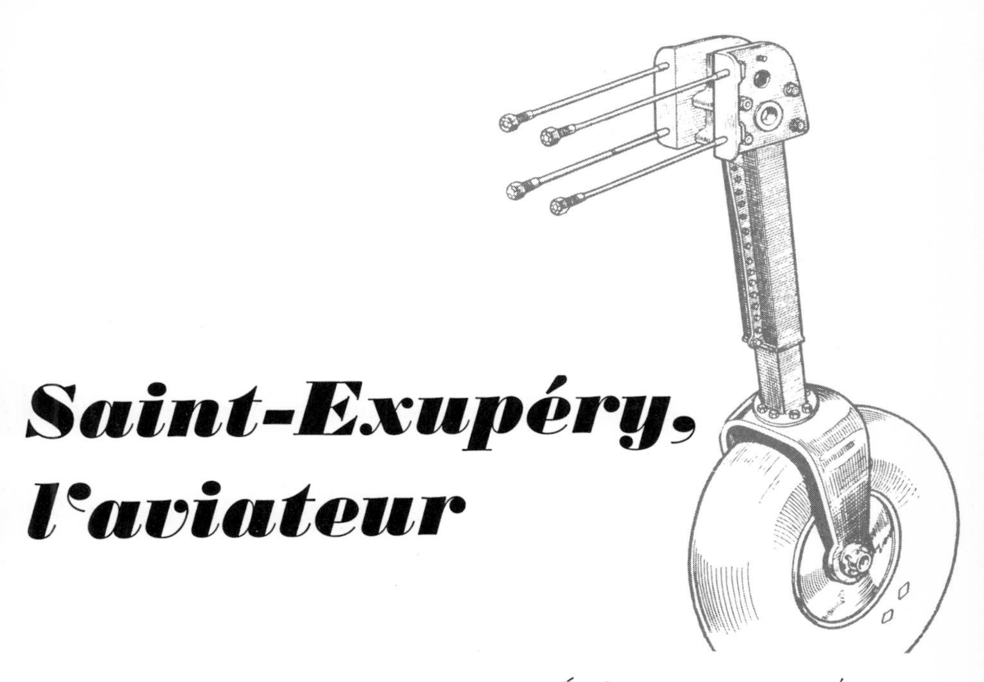

Saint-Exupéry, l'aviateur

Chez Saint-Exupéry, qui déclarait: «Écrire est une conséquence», la vie et l'homme ne peuvent pas se dissocier. Aucun auteur français d'aujourd'hui ne s'est davantage identifié à ses personnages; et les aventures de ceux-ci sont presque toutes tirées de l'expérience de l'auteur, comme leurs sentiments, leurs souffrances, leurs rêves sont l'expression de ceux de leur créateur. Ainsi, c'est Saint-Exupéry, ou Saint-Ex comme on l'appelait familièrement, qui est le principal personnage de ses livres.

* * *

Antoine de Saint-Exupéry est né à Lyon, en 1900. Son trisaïeul, Georges-Alexandre de Saint-Exupéry, avait pris part à la guerre de l'Indépendance américaine et se battit à Yorktown, en 1781. Antoine était un enfant robuste et gai. Sa vocation d'aviateur s'affirma de bonne heure: à l'âge de douze ans, il inventait une bicyclette-aéroplane, et déclarait qu'il s'envolerait et que la foule crierait: «Vive Saint-Exupéry!»

Mais cette vocation dut surmonter de nombreux obstacles.

obtint son brevet / reçut son permis

contre son gré / malgré lui

il est engagé par la Société d'aviation Latécoère / la Société d'aviation Latécoère le prend à son service

va assurer les courriers / sera chargé du service postal

en pleine dissidence marocaine / au milieu des territoires du Maroc en révolte contre la France

vient d'être nommé / a été choisi pour remplir les fonctions de

vit une aventure / est mêlé à des événements

est le héros / est le principal personnage

très dures épreuves / grandes vicissitudes

réussit à se tirer d'affaire / en réchappe

retrace l'histoire / raconte les aventures

de retour en France / une fois rentré en France

attaché / désigné

il est chargé de missions / on lui confie des missions

au cours d'un raid / pendant un long vol sans escale

en tentant de / en essayant de

fait un reportage sur / écrit un compte rendu de

sans encombre / sans ennui / sans difficultés

un accident se produit / un malheur arrive

en miettes / complètement démoli

Mobilisé, en 1921, au deuxième régiment d'aviation, il obtint son brevet de pilote civil et militaire, mais l'aviation militaire ne l'acceptait que comme pilote de réserve. De 1923 à 1925, il revint contre son gré à la vie civile, en qualité de contrôleur d'une tuilerie, puis de représentant d'une fabrique de camions.

C'est en 1926 qu'il publie son premier ouvrage, *l'Aviateur*, dans une revue parisienne, *Le Navire d'argent*. Au printemps de cette même année, il entre à la Compagnie Aérienne Française; puis il est engagé par la Société d'aviation Latécoère. À partir de 1927, il va assurer les courriers Toulouse-Casablanca et Casablanca-Dakar. Il est nommé chef de poste à l'aéroplace du Cap Juby, en pleine dissidence marocaine. De ses exploits au Cap Juby, il tire son premier roman, *Courrier Sud*, publié en 1928.

En 1929, il part pour Buenos Aires, où il vient d'être nommé directeur de la Compagnie Aéropostale en Argentine, la «Aeroposta Argentina». Il y retrouve ses camarades de la ligne France-Maroc: Mermoz et Guillaumet. Il vit là une aventure collective dont Guillaumet est le héros; celui-ci a un accident, et se perd dans les neiges en traversant la cordillère des Andes. Saint-Ex tente de retrouver son camarade qui, après de très dures épreuves, réussit à se tirer d'affaire.

Le deuxième roman de Saint-Ex, *Vol de nuit*, retrace l'histoire des hommes de l'Aéropostale, de leurs efforts et de leurs combats.

En 1932, de retour en France, Saint-Ex est pilote d'essai chez Latécoère, pour les hydravions. En 1934, il est attaché au service de propagande de la nouvelle compagnie Air France; il est chargé de missions de conférences, et il voyage à Saïgon, à Moscou; au cours d'un raid de Paris à Saïgon, en tentant de battre un record, il a un grave accident, son quatrième, et fait un atterrissage forcé dans le désert, à deux cents kilomètres en deçà du Caire. Saint-Ex et son mécanicien sont sauvés par une caravane, après cinq jours de marche.

En 1937, il fait un reportage sur la guerre civile espagnole, à Madrid, pour deux grands journaux parisiens. En 1938, au cours d'une tentative de raid New York-Terre de Feu, il arrive sans encombre à Guatemala, où un cinquième accident se produit au décollage. L'avion est en miettes et Saint-Ex souffre d'une com-

tirer parti de / employer utilement
mettre au point / perfectionner

les événements se précipitent / les choses arrivent vite / la situation change rapidement
la guerre menace / les hostilités sont imminentes
mobilisé / incorporé à l'armée
le déclarent inapte au vol / affirment qu'il n'est plus capable de piloter un avion
réussit à se faire affecter / arrive à se faire admettre
participe à nombre de missions / prend part à de nombreuses sorties

prend des notes / écrit des observations / consigne par écrit des remarques

est atteint par la limite d'âge / arrive à l'âge où un pilote ne peut plus voler pour l'armée

ne cesse de lutter / s'entête

faire des démarches / faire tout ce qu'il peut
reprendre du service / être réintégré dans l'aviation

finit par obtenir l'autorisation / parvient enfin à se faire accorder la permission

on ne lui accorde que cinq missions / il reçoit la permission de voler cinq fois tout au plus
se prépare à accomplir une dernière (mission) / se dispose à effectuer une dernière sortie
vous rassurer sur moi / vous tranquilliser à mon sujet

n'en revient pas / ne reparaît pas
donner la moindre précision / fournir un renseignement quelconque
comme il l'avait souhaité / ainsi qu'il l'avait désiré

motion cérébrale et de multiples fractures du crâne et des membres. Sa convalescence, qui dure un an, lui permet de tirer parti de ses loisirs forcés et de mettre au point les textes de son chef-d'œuvre *Terre des hommes*.

Cependant les événements se précipitent et la guerre menace. Saint-Ex est mobilisé à Toulouse, en septembre 1939. Malgré les médecins, qui le déclarent inapte au vol (à cause des suites de ses nombreuses commotions et fractures), il réussit à se faire affecter à un groupe de grande reconnaissance. En dépit de son état
10 physique assez précaire, il participe à nombre de missions: c'est une de ces missions, à Arras, qui inspire son livre *Pilote de guerre*. Entre les raids, il prend des notes et écrit un conte, *le Petit Prince*, qui paraîtra à New York, en 1943.

Après la débâcle, le 20 juin 1940, il pilote un quadrimoteur,
15 jusqu'à Alger, où il attend d'être démobilisé. Après un bref voyage en France, où il est venu pour embrasser les siens, il part pour les États-Unis. Il y séjournera presque trois ans.

En mai 1943, après le débarquement allié en Afrique du Nord, il se rend à Alger. Il a quarante-trois ans et il est atteint par la
20 limite d'âge: le règlement militaire lui interdit de voler. C'est un obstacle qui semble insurmontable. Mais il ne cesse de lutter et, comme en 1939, de faire des démarches pour reprendre, malgré tout, du service. Grâce à l'intervention d'un des fils du Président Roosevelt, il finit par obtenir l'autorisation de piloter en mission,
25 en qualité de commandant, et de réintégrer l'escadrille dans laquelle il a servi en 1940 et qui a installé ses bases en Corse. Mais on ne lui accorde que cinq missions.

Il en a déjà fait huit, quand il se prépare à en accomplir une dernière. Il écrit, à ce moment-là, à sa mère: «Ma petite maman,
30 je voudrais tellement vous rassurer sur moi, et que vous receviez ma lettre... Quand sera-t-il possible de dire qu'on les aime à ceux que l'on aime?»

Le 31 juillet 1944, il s'envole au-dessus de Grenoble et de la vallée du Rhône, pour cette mission qui doit, cette fois, être
35 vraiment la dernière. Il n'en revient pas et personne n'a jamais pu donner la moindre précision sur le lieu et les circonstances de sa mort, survenue en plein ciel, comme il l'avait souhaité.

se termine le destin / finit la vie

sait qu'il a une mission à accomplir / est conscient de son devoir
amener à bon port / conduire à leur destination
bon état / parfaite condition

est en lutte contre les éléments / doit faire face aux forces naturelles

se dit / pense
s'il lui fallait atterrir / s'il était obligé de se poser
causeraient sa perte / entraîneraient sa mort
est en communication constante / reste continuellement en rapport / ne cesse de communiquer

avait survolé les Andes / avait volé au-dessus des Andes
à la recherche de son camarade / pour essayer de retrouver son ami
ayant reçu la nouvelle du salut miraculeux de son ami / ayant appris que son ami avait été miraculeusement sauvé

Ainsi se termine le destin de Saint-Ex, cette «profonde méditation du vol», qui nous donne la clef de son œuvre.

* * *

Le secret de Saint-Ex, c'était un sentiment très vif de la responsabilité et de la solidarité. André Maurois, qui a été son ami et l'a souvent rencontré pendant son séjour à New York, au cours de la dernière guerre, a écrit de lui qu'il «se sentait un peu responsable du destin de la France.» Il se sentait à la fois responsable et solidaire de ceux qui souffraient sous l'occupation ennemie.

L'aviateur, qu'il soit pilote de ligne ou pilote de guerre, dans la carlingue de son avion, sait qu'il a une mission à accomplir; il doit transporter des passagers ou du courrier, et les amener à bon port; il sait que son avion est un précieux outil qui doit atterrir, en bon état, à une certaine heure, à un endroit fixé. Pendant qu'il vole, il est en lutte, à chaque minute, contre les éléments: contre le vent, la pluie, les nuages, la tempête, l'orage, le brouillard, la nuit. Saint-Ex, survolant l'Espagne, au cours d'un de ses premiers voyages, aperçoit au-dessous de lui une aimable campagne qui déroule de riants paysages; il voit des ruisseaux qui traversent des prés; il voit des haies, des bouquets d'arbres, des troupeaux de moutons; et il se dit que tout cela pourrait être, s'il lui fallait atterrir, autant de pièges et d'obstacles qui causeraient sa perte et détruiraient son avion. Mais, de là-haut, il est en communication constante, par radio, avec ceux de la ligne: ceux-ci le guident, le protègent, l'avertissent des dangers qui le menacent. C'est d'eux qu'il dépend pour atteindre, sain et sauf, sa destination. Et c'est dans cette action collective qu'il éprouve, en même temps que la joie de bien faire son métier, le sentiment exaltant de sa responsabilité et de sa solidarité.

Guillaumet, camarade de Saint-Ex à l'Aéropostale de Buenos Aires, qui avait quatre cents fois traversé en avion la cordillère des Andes, avait eu un accident, le 13 juin 1930, et était tombé quelque part dans les montagnes. Pendant cinq jours, Saint-Ex avait survolé les Andes à la recherche de son camarade. Puis, ayant reçu la nouvelle du salut miraculeux de son ami, il était allé le rejoindre et l'avait ramené à Buenos Aires.

je te le jure / je te l'affirme

les réflexions que voici: / les observations suivantes:

tu t'en délivrais / tu t'en débarrassais
par bribes / petit à petit

quarante degrés de froid / un froid glacial
Vidé peu à peu de ton sang / Ayant graduellement perdu beaucoup de sang
avançais avec un entêtement de fourmi / allais de l'avant avec ténacité
revenant sur tes pas / refaisant le chemin parcouru / retournant en arrière
contourner l'obstacle / faire le tour de tout ce qui arrêtait la marche

ne t'accordant aucun repos / ne t'arrêtant pas / ne prenant pas de repos

tu devais te redresser vite / il fallait que tu te relèves sur-le-champ
de seconde en seconde / rapidement / en moins de rien

tu devais faire jouer / il fallait que tu mettes en action

résistais / tenais ferme / ne cédais pas

Ils ont tous confiance en moi / Ils se fient tous à moi
un salaud / un homme méprisable / un «cochon»

hausserait les épaules / ferait un geste pour indiquer qu'il ne pense pas avoir tant de courage / diminuerait l'importance de son courage, par un geste d'indifférence
tient dans ses mains / a charge de / est responsable de
ce qui se bâtit de neuf / ce qu'on est en train de construire
il doit participer / il lui faut prendre part
dans la mesure de son travail / dans l'exécution de l'emploi dont il est chargé

Guillaumet qui, pendant cinq jours et quatre nuits, avait lutté contre la faim et le terrible froid, prononça cette parole sur son lit d'hôpital: «Ce que j'ai fait, je te le jure, aucune bête ne l'aurait fait.» Saint-Ex, contemplant son camarade haletant, les pieds gelés, le visage noir et tuméfié, adressa alors à Guillaumet les réflexions que voici:

Tu revivais ton étrange aventure. Et tu t'en délivrais par bribes. Et je t'apercevais, au cours de ton récit nocturne, marchant, sans cordes, sans vivres, escaladant des cols de quatre mille cinq cents mètres, ou progressant le long des parois verticales, saignant des pieds, des genoux, des mains, par quarante degrés de froid. Vidé peu à peu de ton sang, de tes forces, de ta raison, tu avançais avec un entêtement de fourmi, revenant sur tes pas pour contourner l'obstacle, te relevant après les chutes, ou remontant celles des pentes qui n'aboutissent qu'à l'abîme, ne t'accordant enfin aucun repos, car tu ne te serais pas relevé de ton lit de neige.

Et en effet, quand tu glissais, tu devais te redresser vite, afin de n'être point changé en pierre. Le froid te pétrifiait de seconde en seconde, et, pour avoir goûté, après ta chute, une minute de repos de trop, tu devais faire jouer, pour te relever, des muscles morts.

Tu résistais aux tentations. «Dans la neige, me disais-tu, on perd tout instinct de conservation. Après deux, trois, quatre jours de marche, on ne souhaite plus que le sommeil. Je le souhaitais. Mais je me disais: Ma femme, si elle croit que je vis, croit que je marche. Les camarades croient que je marche. Ils ont tous confiance en moi. Et je suis un salaud si je ne marche pas. . .»

Et tu marchais. . .

Et je pensais: si on lui parlait de son courage, Guillaumet hausserait les épaules. . . Sa véritable qualité n'est point là. Sa grandeur, c'est de se sentir responsable. Responsable de lui, du courrier et des camarades qui espèrent. Il tient dans ses mains leur peine, ou leur joie. Responsable de ce qui se bâtit de neuf, là-bas, chez les vivants, à quoi il doit participer. Responsable un peu du destin des hommes, dans la mesure de son travail.

croyait se trouver dans le voisinage du Caire / pensait qu'il était aux environs du Caire
heurte le sol / atterrit brusquement

Je me suis retrouvé en Égypte / J'étais en Égypte sans savoir pourquoi ni comment
j'ai cru en mourir / j'ai pensé que c'était la fin

rendus presque fous / à demi affolés

Personne ne semble les avoir vus / Personne n'a l'air de les avoir remarqués / Nul ne paraît savoir qu'ils sont là

sans hâte / lentement
amorcé un quart de tour / commencé à se tourner vers nous
À la seconde même / À l'instant précis
il aura déjà effacé en nous la soif / nous n'aurons plus soif

étendus / couchés par terre

à plat ventre / la face vers le sol
Le Bédouin s'en effraie / L'Arabe a peur
à chaque instant / à tout moment
interrompre / arrêter

tu t'effaceras / tu disparaîtras
ma mémoire / mon souvenir
Je ne me souviendrai jamais de ton visage / Je ne me rappellerai jamais ta figure
tous les hommes à la fois / l'humanité entière
dévisagés / regardés avec insistance

En décembre 1935, Saint-Ex tentait le raid Paris-Saïgon. Survolant la côte de l'Afrique du Nord, il croyait se trouver dans le voisinage du Caire; mais, trompé par une lueur, il heurte le sol et son avion est détruit. En réalité, il est tombé à deux cents kilomètres du Caire, au milieu d'un désert, où il est perdu avec son mécanicien Prévot. «Je me suis retrouvé en Égypte, pris dans les sables comme dans une glu, et j'ai cru en mourir.» En effet, pendant cinq jours, Saint-Ex et son camarade marchent dans le désert, mourant de soif, victimes de toute sorte de mirages, exténués par la chaleur torride du jour et le froid glacial de la nuit, rendus presque fous par cette lente torture; puis, un matin, ils aperçoivent, de profil sur la crête des dunes, une caravane. Personne ne semble les avoir vus. Mais soudain un Bédouin les aperçoit...

> Et voici, sans hâte, il a amorcé un quart de tour... À la seconde même où il regardera vers nous, il aura déjà effacé en nous la soif, la mort et les mirages. Il a amorcé un quart de tour qui, déjà, change le monde. Par un mouvement de son seul buste, par la promenade de son seul regard, il crée la vie, et il me paraît semblable à un dieu... C'est un miracle... Il marche vers nous sur le sable, comme un dieu sur la mer.
>
> L'Arabe nous a simplement regardés. Il a pressé, des mains, sur nos épaules, et nous lui avons obéi. Nous nous sommes étendus. Il n'y a plus ici ni races, ni langages, ni divisions. Il y a ce nomade pauvre qui a posé sur nos épaules des mains d'archange.
>
> Nous avons attendu, le front dans le sable. Et maintenant, nous buvons à plat ventre, la tête dans la bassine, comme des veaux. Le Bédouin s'en effraie et nous oblige, à chaque instant, à nous interrompre. Mais dès qu'il nous lâche, nous replongeons tout notre visage dans l'eau...
>
> Quant à toi qui nous sauves, Bédouin de Libye, tu t'effaceras cependant à jamais de ma mémoire. Je ne me souviendrai jamais de ton visage. Tu es l'Homme, et tu m'apparais avec le visage de tous les hommes à la fois. Tu ne nous as jamais dévisagés et déjà tu nous as reconnus. Tu es le frère bien-aimé. Et, à mon tour, je te reconnaîtrai dans tous les hommes.

Telle est la pensée fraternelle et généreuse de Saint-Exupéry,

qu'il faut sauver / que nous devons préserver

Il leur tient le même langage / Il leur parle de la même façon

au moment de leur séparation / lorsqu'ils se quittent

qui nous invite à cultiver l'amitié humaine. «La grandeur d'un métier, dit-il, est peut-être, avant tout, d'unir les hommes.» C'est cette amitié, née des dangers et des sacrifices communs, qu'il faut sauver, et rappeler aux hommes, parce qu'ils se laissent abuser par
5 la guerre, par le confort, par l'inculture, par la sottise, et parce qu'ils oublient les grandes lois de la condition humaine. Saint-Exupéry voudrait réconcilier les hommes, qui se méconnaissent et se haïssent stupidement. Il leur tient le même langage que le renard tient au petit prince, après avoir été apprivoisé par lui: «Adieu, dit
10 le renard, au moment de leur séparation. Voici mon secret. Il est très simple. On ne voit bien qu'avec le cœur. L'essentiel est invisible pour les yeux.»

Questionnaire

1. Qu'est-ce qu'on ne peut pas dissocier chez Saint-Exupéry?
2. De quoi sont tirées les aventures des personnages de Saint-Ex?
3. Quand la vocation d'aviateur s'est-elle affirmée chez Saint-Ex?
4. Qu'est-ce qu'il a obtenu, à l'âge de 21 ans?
5. Où est-ce que son ouvrage *l'Aviateur* a été publié?
6. Qu'est-ce qui est arrivé à Guillaumet en Amérique du Sud?
7. Que retrace le deuxième roman de Saint-Exupéry, *Vol de nuit?*
8. Qu'est-ce que l'auteur faisait, en 1934, pour la nouvelle compagnie Air France?
9. Quel accident lui est-il arrivé, alors qu'il tentait de battre un record de Paris à Saïgon?
10. Après son accident à Guatemala, comment Saint-Ex a-t-il passé sa convalescence?
11. Qu'est-ce qu'une mission, à Arras, a inspiré à l'auteur?
12. Qu'est-ce qu'il écrit entre les raids?
13. Que fait-il après la débâcle de 1940?
14. Pourquoi le règlement militaire lui interdit-il de voler?
15. Grâce à qui obtient-il l'autorisation de piloter?

16. En préparant sa dernière mission, qu'écrit-il à sa mère?
17. Qu'est-ce qui est arrivé à Saint-Exupéry le 31 juillet 1944?
18. Quel était le secret de Saint-Ex?
19. Qu'est-ce que son ami André Maurois a écrit de lui?
20. Quelle mission l'aviateur a-t-il à accomplir?
21. Pendant que le pilote vole, contre quoi est-il en lutte, à chaque minute?
22. Que se dit Saint-Ex quand, en survolant l'Espagne, il aperçoit de riants paysages au-dessous de lui?
23. De qui Saint-Ex dépend-il pour atteindre, sain et sauf, sa destination?
24. Qu'est-ce qui est arrivé à Guillaumet le 13 juin 1930?
25. Qu'est-ce que Guillaumet a prononcé sur son lit d'hôpital, après son salut miraculeux?
26. Quelles réflexions Saint-Ex a-t-il alors adressées à son ami?
27. Selon Saint-Ex, quelle était la grandeur, la véritable qualité de Guillaumet?
28. En décembre 1935, alors qu'ils survolaient la côte de l'Afrique du Nord, qu'est-il arrivé à Saint-Ex et à son mécanicien Prévot?
29. Qu'est-ce que Saint-Ex et son camarade ont fait pendant cinq jours?
30. Qu'aperçoivent-ils un matin?
31. Qu'a fait l'Arabe après les avoir regardés?
32. Pourquoi Saint-Ex dit-il qu'il ne se souviendra jamais du visage du Bédouin de Libye?
33. À quoi Saint-Ex nous invite-t-il?
34. D'après lui, que faut-il sauver?
35. Quel est le secret du renard au moment où il se sépare du petit prince?

EXERCICES

1. (a) Il revint, *contre son gré,* à la vie civile.
   (b) Il revint, *malgré lui,* à la vie civile.
   A. Il a, malgré lui, accepté les conditions.
   B. ———

2. (a) *De retour* en France, Saint-Ex est pilote d'essai.
(b) *Une fois rentré* en France, Saint-Ex est pilote d'essai.
A. Vous avez l'air malade mais, une fois rentré chez vous, vous vous sentirez mieux.
B. ———

3. (a) Il arrive *sans encombre* à Guatemala.
(b) Il arrive *sans ennui* à Guatemala.
A. Ne conduisez pas trop vite et vous arriverez là-haut sans ennui.
B. ———

4. (a) Il *tire parti de* ses loisirs forcés.
(b) Il *emploie utilement* ses loisirs forcés.
A. Je voudrais employer utilement tout ce temps libre.
B. ———

5. (a) Il *met au point* les textes de son chef-d'œuvre.
(b) Il *perfectionne* les textes de son chef-d'œuvre.
A. Nous avons acheté ce modèle, qui a besoin d'être perfectionné.
B. ———

6. (a) Il *se rend* à Alger.
(b) Il *va* à Alger.
A. Après la visite du campus, nous irons à la réunion.
B. ———

7. (a) Il *se prépare à* accomplir une dernière mission.
(b) Il *se dispose à* accomplir une dernière mission.
A. Quand il m'a téléphoné, je me disposais à partir pour la campagne.
B. ———

8. (a) Il *se dit* que cela pourrait être un piège.
(b) Il *pense* que cela pourrait être un piège.
A. J'ai pensé que cela vous ferait plaisir.
B. ———

9. (a) Il nous oblige à nous interrompre *à chaque instant*.
(b) Il nous oblige à nous interrompre *à tout moment*.
A. C'est ennuyeux, le téléphone sonne à tout moment.
B. ———

VOCABULAIRE

ABRÉVIATIONS

a.	adjectif
adv.	adverbe
art.	article
art.contr.	article contracté
conj.	conjonction
fam.	familier
inter.	interjection
loc.adv.	locution adverbiale
loc.prép.	locution prépositive
mil.	militaire
n.f.	nom féminin
n.inv.	nom invariable
n.m.	nom masculin
pl.	pluriel
prép.	préposition
pron.	pronom
v.	verbe
v.imp.	verbe impersonnel
vx	vieux

L'astérisque * indique un *h* aspiré.

A

abandonner, *v.* to desert; to renounce, to give up; **s'abandonner** to put oneself in the hands of (God, providence . . .)
abasourdir, *v.* to dumbfound, astound, bewilder
abattement, *n.m.* despondency, dejection, depression
abattre, *v.* to knock down, bring down; **s'abattre** to fall, crash down
abattu, *a.* dejected, low-spirited
abbaye, *n.f.* abbey, monastery
abêtir, *v.* to make stupid
abîme, *n.m.* abyss, chasm
abîmer, *v.* to spoil, damage, to run down
aboiement, *n.m.* barking
abondamment, *adv.* abundantly, plentifully, copiously
abord, *n.m.* access, approach
abord (d'), *loc.adv.* at once; at first, to begin with
aboutir, *v.* to end at, in; to lead to
abri, *n.m.* shelter, cover
abruti, *n.m.* sot, idiot
abrutir, *v.* to besot, to stupefy
absolument, *adv.* absolutely, entirely, utterly
absorber, *v.* to absorb, to soak up
absoudre, *v.* to absolve
abstraitement, *adv.* abstractedly
abuser, *v.* to misuse; to deceive, to delude
abusif, *a.* excessive
acariâtre, *a.* bad-tempered, cantankerous
accablant, *a.* overwhelming
accablé, *a.* overwhelmed
accabler, *v.* to overpower, crush, overwhelm
accentuer, *v.* to emphasize
accepter, *v.* to accept; to agree
accès, *n.m.* fit, attack
acclamer, *v.* to acclaim, applaud, cheer
accommoder, *v.* to make comfortable; **s'accommoder** to make the best of (it)
accompagner, *v.* to go, come, with someone
accompli, *a.* accomplished
accomplir, *v.* to carry out, fulfill; to perform
accord, *n.m.* agreement
accorder, *v.* to grant, concede; **s'accorder** to agree, to come to an agreement
accouder (s'), *v.* to lean on one's elbow(s)
accourir, *v.* to hasten up, rush up
accrocher, *v.* to hook; **s'accrocher** to fasten on, to clinch
accueil, *n.m.* reception, welcome, greeting
accueillir, *v.* to receive; greet, welcome; to admit
acculer, *v.* to corner, to drive (someone) to the wall
accumuler, *v.* to accumulate, amass
accusé, *n.m.* defendant, accused of a crime
acharné, *a.* desperate, fierce, relentless
acheter, *v.* to buy, purchase
achever, *v.* to end, conclude, finish, complete
acquérir, *v.* to acquire, obtain, gain
acquitter, *v.* to release, acquit, discharge; **s'acquitter** to repay
activement, *adv.* actively
actuel, *a.* present
adhésion, *n.f.* adherence
adieu, *n.m.* farewell; **faire ses adieux** to take one's leave
admettre, *v.* to admit
adopter, *v.* to take; to accept
adresser, *v.* to address; **s'adresser** to speak (to someone)
adroit, *a.* dexterous, skilful; shrewd, adroit
adversité, *n.f.* misfortune
aérien, *a.* aerial; **ligne aérienne** airline
aéroplace, *n.f.* airfield
aéropostal, *a.* air mail
affaiblir, *v.* to weaken
affaire, *n.f.* business; matter; **avoir affaire à** to deal, have to deal with
affairé, *a.* busy
affaisser (s'), *v.* to collapse
affaler (s'), *v.* to drop, sink
affecter, *v.* to assign, to post; take on; **être affecté** to be posted
affermir, *v.* to strengthen, consolidate
affirmer, *v.* to affirm, assert; **s'affirmer** to assert one's authority

affligé, *a.* afflicted
affolé, *a.* crazy, panic-stricken, wild, crazed
affranchir, *v.* to free
affront, *n.m.* indignity, insult
affronter, *v.* to confront, face
affût, *n.m.* hiding-place; **se mettre à l'affût** to lie in wait, be on the watch
afin de, *loc.prép.* to, in order to; so as to
agacer, *v.* to provoke, annoy, irritate
âge, *n.m.* age; **bas âge** early childhood
agence, *n.f.* **de renseignements** information bureau
agenouiller (s'), *v.* to kneel, to fall on one's knees
agent, *n.m.* **de police** policeman
aggraver (s'), *v.* to worsen, to grow worse
agir, *v.* to act, take effect; **s'agir de** to be a matter of
agiter, *v.* to agitate, wave
agneau, *n.m.* lamb; **doux comme un agneau** as gentle as a lamb
agonisant, *a.* dying
agoniser, *v.* to be at the point of death
agrandir (s'), *v.* to grow larger
agrément, *n.m.* pleasure, delight
agricole, *a.* agricultural
aide, *n.f.* help, assistance; **à l'aide de** with the help of; **aller à l'aide de** to go to the help of
aider, *v.* to help, relieve
aigu, aiguë, *a.* sharp, acute
aiguille, *n.f.* needle
aile, *n.f.* wing
ailleurs, *adv.* elsewhere; **d'ailleurs** besides, moreover
aimable, *a.* lovable, pleasant; kind, agreeable
aimer, *v.* to like, care for, love
ainsi, *adv.* thus; so; in this manner; **ainsi que** just as, as well as
air, *n.m.* air; manner, look; **en l'air** in the air; **avoir l'air** to look, seem
aise, *n.f.* ease, comfort
aisé, *a.* well-to-do
aisselle, *n.f.* armpit
ajouter, *v.* to add
alcoolique, *n.m.* habitual drinker, drunkard
aliment, *n.m.* food
alimentation, *n.f.* nourishment
aliter (s'), *v.* to take to one's bed
allégresse, *n.f.* joy, cheerfulness
alléguer, *v.* to plead; to advance (a pretext)
Allemagne, *n.f.* Germany
aller, *v.* to go; to be going to (do something); **s'en aller** to go away
allongé, *a.* stretched out
allumer, *v.* to light; inflame
allure, *n.f.* look, aspect; bearing; speed
allusion, *n.f.* hint
almanach, *n.m.* almanac
alors, *adv.* then, at that time; **alors que** when
amabilité, *n.f.* kindness
amant, *n.m.* admirer, lover
ambiance, *n.f.* surroundings, environment
ambitieux, *n.m.* ambitious person
ambulant, *a.* strolling; **marchand ambulant** peddler, street vendor
âme, *n.f.* soul
amende, *n.f.* fine
amener, *v.* to bring, to lead, bring about
ami, *n.m.* friend
amical, *a.* friendly
amitié, *n.f.* friendship, friendliness
amorcer, *v.* to begin, start, initiate
amour, *n.m.* love, affection, passion
amoureux, *a.* loving; **être amoureux de** to be in love with
amoureux, *n.m.* lover, sweetheart, admirer
amuser, *v.* to entertain, amuse; **s'amuser** to enjoy oneself
an, *n.m.* year
analogue, *a.* similar, parallel
analyse, *n.f.* analysis
anchois, *n.m.* anchovy
ancien, *a.* ancient; former, late
Andes, n.f.pl. the Andes; **la cordillère des Andes** the Andean Belt
âne, *n.m.* donkey
ange, *n.m.* angel
anglais, *a.* English; **s'en aller à l'anglaise** to slip away
Angleterre, *n.f.* England
angoisse, *n.f.* anguish, distress, agony
animé, *a.* lively, vivacious

année, *n.f.* year
annonce, *n.f.* notification, notice; ad
annoncer, *v.* to announce, declare; to promise, show
antichambre, *n.f.* waiting-room
antique, *a.* ancient
anxiété, *n.f.* concern, anxiety
anxieux, *a.* uneasy
août, *n.m.* August
apaiser, *v.* to pacify, calm
apercevoir, *v.* to catch sight of; **s'apercevoir** to perceive, to realize, to become aware
apparaître, *v.* to appear; to become evident
appareil, *n.m.* machine, instrument
apparence, *n.f.* appearance, look
apparent, *a.* simulated, affected
apparition, *n.f.* appearance, publication
appartenir, *v.* to belong to; to behoove
appel, *n.m.* appeal; **faire appel** to appeal
appeler, *v.* to call, send for, provoke; **s'appeler** to be called, named
applaudir, *v.* to applaud, approve
applaudissement, *n.m.* applause, approval
appliquer, *v.* to apply
apporter, *v.* to bring
apprendre, *v.* to learn; to teach
apprêter, *v.* to prepare; **s'apprêter** to get ready
apprivoiser, *v.* to tame, win over
approcher, *v.* to bring near; to approach, draw near
approuver, *v.* to be pleased with, to approve
appui, *n.m.* support
appuyer, *v.* to support; **s'appuyer sur quelqu'un** to rely on someone
après, *prép.* after; **d'après** according to
après-midi, *n.m.* afternoon
araignée, *n.f.* spider
arbitre, *n.m.* judge, referee; **libre arbitre** free will
arbre, *n.m.* tree; **arbre généalogique** family tree
arbuste, *n.m.* bush, shrub
archange, *n.m.* archangel
archevêque, *n.m.* archbishop
ardemment, *adv.* eagerly
ardeur, *n.f.* eagerness, ardor
argent, *n.m.* money
armateur, *n.m.* ship-owner
arme, *n.f.* weapon; **faire des armes** to fence, go in for fencing
armée, *n.f.* army
armer, *v.* to arm; to cock (a rifle)
armoire, *n.f.* wardrobe, closet
armurier, *n.m.* gunsmith
arracher, *v.* to tear out
arranger, *v.* to set in order; **s'arranger** to manage, contrive; to come to terms
arrestation, *n.f.* arrest
arrêt, *n.m.* stop; decree; arrest
arrêter, *v.* to stop; to arrest; **s'arrêter** to come to a stop
arrière (en), *loc.prép.* behind, back, backwards
arrière-garde, *n.f.* rear-guard
arrivée, *n.f.* arrival, coming
arriver, *v.* to arrive; to happen; to succeed; **en arriver à** to get to; to get to the point of
art, *n.m.* method, way
artichaut, *n.m.* artichoke
article, *n.m.* point; **à l'article de la mort** at the point of death
artisan, *n.m.* craftsman
aspect, *n.m.* appearance, look
asperge, *n.f.* asparagus; **botte d'asperges** bunch of asparagus
assaillir, *v.* to assail; **être assailli** to be beset
assassiner, *v.* to murder
assembler (s'), *v.* to meet, gather
asseoir (s'), *v.* to sit down
asservir, *v.* to enslave
assesseur, *n.m.* assessor
assez, *adv.* enough, sufficiently; rather
assidu, *a.* regular, constant
assiéger, *v.* to besiege, beleaguer, lay siege
assiette, *n.f.* plate
assis, *see* **asseoir (s')**
assistance, *n.f.* audience
assister, *v.* to help, succor; to be present (at)
associer, *v.* to make (someone) a party to, connect
assujettir, *v.* to subdue, subjugate

assuré, *a.* assured, confident
assurer, *v.* to ensure
atelier, *n.m.* work-room
atroce, *a.* excruciating; appalling
attachement, *n.m.* fondness
attacher, *v.* to fasten, bind, to tie up; to designate, appoint
attaque, *n.f.* attack; fit, stroke
attaquer, *v.* to assail
atteindre, *v.* to reach; **être atteint d'une maladie** to have caught a disease
atteinte, *n.f.* blow
attenant, *a.* contiguous, adjoining
attendre, *v.* to wait for, await; **s'attendre à** to expect
attentif, *a.* careful
attention, *n.f.* care; **faire attention** to pay attention
atterrir, *v.* to land
atterrissage, *n.m.* landing
attirer, *v.* to attract, draw; to bring on
attrait, *n.m.* attraction, lure; inclination
attribuer, *v.* to assign, allot
au, *art.contr.* to the
aube, *n.f.* dawn, break of day
auberge, *n.f.* inn, hostel
aucun, *a.* & *pron.* none, not any; anyone
aucunement, *adv.* not in the slightest, not in the least
au-delà, *loc.prép.* beyond
au-dessus de, *loc.prép.* above
au-devant de, *loc.prép.* **(aller)** (to go) to meet
audience, *n.f.* hearing; court
auditoire, *n.m.* audience
augmenter, *v.* to increase
aujourd'hui, *adv.* today
auparavant, *adv.* beforehand, previously
auprès, *adv.* close to; **auprès de** close by, beside, near
ausculter, *v.* to examine, to sound
aussi, *adv.* & *conj.* also; therefore
aussitôt, *adv.* immediately, at once
autant, *adv.* as much, as many; so much, so many; **d'autant plus . . . que** all the more . . . because
auteur, *n.m.* author
autocar, *n.m.* motor coach, bus
automne, *n.m.* fall, autumn
autorité, *n.f.* authority
autour, *adv.* about; round; **autour de** round, about
autre, *a.* & *pron.* other; **les uns les autres** one another; some . . . others; each other
autrefois, *adv.* formerly, at one time
autrement, *adv.* otherwise
Autriche, *n.f.* Austria
autrui, *pron.* others, other people
aux, *art. contr.* to the
avaler, *v.* to swallow; devour
avancé, *a.* advanced; **à un âge avancé** late in life
avancer, *v.* to advance; to move forward
avant, *prép.* before; **en avant** in front
avantage, *n.m.* advantage; superiority; benefit; **avoir l'avantage** to have the best of it
avantageusement, *adv.* favorably
avec, *prép.* with
avenir, *n.m.* future
aventure, *n.f.* adventure
aversion, *n.f.* dislike
avertir, *v.* to notify, advise; warn
aveu, *n.m.* confession; consent
aveuglant, *a.* blinding, dazzling
aveugle, *a.* blind
aveuglément, *adv.* blindly
aviateur, *n.m.* flyer, airman
avion, *n.m.* airplane
avis, *n.m.* opinion; advice; notice, warning; **être de l'avis de quelqu'un** to share someone's opinion
avisé, *a.* prudent, circumspect, farseeing
aviver, *v.* to stir up; to make more acute
avocat, *n.m.* barrister; lawyer
avoine, *n.f.* oats
avoir, *v.* to have
avouer, *v.* to acknowledge; to confess
avril, *n.m.* April

B

bacille, *n.m.* microbe, bacillus
badaud, *n.m.* idler, stroller; gaper
bagage, *n.m.* belongings; *pl.* luggage
bague, *n.f.* ring
bâiller, *v.* to yawn
bain, *n.m.* bath

baiser, *n.m.* kiss
baisser, *v.* to lower; to ebb
balance, *n.f.* scale; indecision
balbutier, *v.* to stammer, mumble
balle, *n.f.* ball; bullet
banal, *a.* trite
bananier, *n.m.* banana-tree
banc, *n.m.* bench
Banquet, *n.m.* **(Le)** one of Plato's dialogues
baraque, *n.f.* wooden enclosure
barbarie, *n.f.* barbarism, cruelty
barbe, *n.f.* beard; **faire la barbe** to shave
barbier, *n.m.* barber
barbon, *n.m.* old man, greybeard
baron, *n.m.* nobleman; baron
baronne, *n.f.* baroness
barreau, *n.m.* small bar; bar (*jur.*)
bas, basse, *a.* low
bas, *n.m.* lower part; **à bas . . .!** down with . . . !
bassine, *n.f.* pan
bataille, *n.f.* battle
batailler, *v.* to fight
bataillon, *n.m.* battalion
bateau, *n.m.* boat
bâtir, *v.* to build, construct; **mal bâti** misshapen
bâton, *n.m.* stick, club
battant, *a.* beating, banging; **pluie battante** downpour
battement, *n.m.*, **de cœur** palpitation
battre, *v.* to beat; **se battre** to fight
battue, *n.f.* round-up
bavardage, *n.m.* chattering, gossip
beau, bel, belle, *a.* beautiful, handsome
beaucoup, *adv.* much, a great deal, a lot
beau-père, *n.m.* stepfather
bébé, *n.m.* baby, infant
bec, *n.m.* beak; **bec de gaz** lamp-post
bégayer, *v.* to stutter
bêler, *v.* to bleat
belle, *a.f.* beautiful
bénéficier, *v.* to profit
bénir, *v.* to bless
berger, *n.m.* shepherd
besogne, *n.f.* work, task, job
besoin, *n.m.* want, need; **avoir besoin de** to require; to need
bétail, *n.m.* cattle, live-stock
bête, *a.* stupid, foolish, unintelligent;
bête, *n.f.* beast, animal; fool
bêtise, *n.f.* stupidity, silliness; trifle
betterave, *n.f.* beet
beurre, *n.m.* butter
bien, *adv.* well; **bien des** many a; **bien d'autres** many, a great deal more, a great many others; **bien que** although, though; **ou bien** or else, otherwise; **eh bien!** well; **si bien que** so that
bien, *n.m.* possession, property; wealth; **le bien général** common weal; **en bien** for the better
bien-aimé, *a.* & *n.m.* beloved, well-loved
bien-être, *n.m.* well-being, comfort
bienfaisance, *n.f.* charity, beneficence
bientôt, *adv.* soon, before long
bienveillance, *n.f.* kindness, benevolence
bienveillant, *a.* kind, kindly, benevolent
bienvenue, *n.f.* welcome; **souhaiter la bienvenue** to welcome
billet, *n.m.* promissory note; short letter
bistro, *n.m.* tavern, bar
bizarre, *a.* peculiar, odd, strange
blague, *n.f.* joke, tall story
blâmable, *a.* blameworthy
blâmer, *v.* to blame; to find fault with
blanc, blanche, *a.* white
blanchir, *v.* to whiten; to turn grey
blé, *n.m.* wheat
blesser, *v.* to inflict a wound, hurt; to offend
bleu, *a.* blue
blouse, *n.f.* smock frock
bocal, -aux, *n.m.* bottle or jar for drugs
boire, *v.* to drink
bois, *n.m.* wood; forest
boisson, *n.f.* beverage, drink
boîte, *n.f.* box, can
boiteux, *a.* lame
bon, bonne, *a.* good, upright, honest; **à quoi bon!** what's the use!
bondir, *v.* to leap, bound

bonheur, *n.m.* good fortune, good luck, success; happiness
bonjour, *n.m.* good day, good morning, good afternoon
bord, *n.m.* board, side of ship; (river) bank
border, *v.* to border
bordure, *n.f.* border, edge, fringe
bosquet, *n.m.* grove, thicket
botte, *n.f.* bunch (of asparagus)
bouche, *n.f.* mouth
boucher, *v.* to plug, to stop
boue, *n.f.* mud, slush
bouffon, *a.* farcical, comical
bouger, *v.* to budge, stir, move
bougre, *n.m.* chap, fellow
bouillir, *v.* to boil
boulanger, *n.m.* baker
bouleversé, *a.* upset, shaken
bouleverser, *v.* to upset, overthrow
bouquet, *n.m.* cluster, clump, bunch (of flowers)
bourdonnement, *n.m.* humming, buzzing
bourdonner, *v.* to hum
bourgade, *n.f.* important village
bourgeois, *n.m.* citizen
bourrer, *v.* to stuff
bourse, *n.f.* stock exchange
bousculade, *n.f.* rush, scurry
bout, *n.m.* end, extremity; **à bout de forces** at the end of one's tether; **au bout du compte** after all
bouteille, *n.f.* bottle
boutique, *n.f.* shop, store
boutiquier, *n.m.* shopkeeper
bouton, *n.m.* button
brancardier, *n.m.* stretcher-bearer
branche, *n.f.* branch, limb, bough of tree
brandir, *v.* to brandish, wave about
bras, *n.m.* arm
brave, *a.* brave, gallant; good, honest, worthy
braver, *v.* to defy, to face bravely
bravoure, *n.f.* bravery, gallantry
bredouiller, *v.* to jabber, mumble
bref, *a.* short, brief
brevet, *n.m.* diploma, certificate
bribes, *n.f. pl.* fragments, scraps; **apprendre par bribes** to learn piecemeal
brièvement, *adv.* succinctly, briefly
brillamment, *adv.* splendidly
brillant, *a.* shining, sparkling; splendid
briller, *v.* to sparkle, glitter, shine
brio, *n.m.* vigor, dash
brisé, *a.* broken
briser, *v.* to break, smash, shatter
brouillard, *n.m.* fog, mist
broussaille, *n.f.* brushwood
bruit, *n.m.* noise
brûlant, *a.* burning
brûle-pourpoint (à), *loc.adv.* point-blank
brûler, *v.* to burn
brûlure, *n.f.* burn, scald
brusquement, *adv.* abruptly, bluntly
bruyamment, *adv.* noisily, boisterously, loudly
bûcher, *n.m.* stake, funeral-pyre
buisson, *n.m.* bush
but, *n.m.* target; objective, goal, end, aim
butte, *n.f.* **(être en)** to be exposed, to be victim

C

ça (cela), *pron.* that
cabaret, *n.m.* inn, eating-house, tavern
cabinet, *n.m.* office, consulting room, study
cacher, *v.* to hide, conceal
cachette, *n.f.* hiding-place; **en cachette** secretly, on the sly, on the quiet
cadeau, *n.m.* present
cadence, *n.f.* rhythm, cadence; **en cadence** rhythmically
cadre, *n.m.* frame
caille, *n.f.* quail
Caire (Le), *n.m.* Cairo, capital of Egypt
calamité, *n.f.* disaster
calepin, *n.m.* note-book
calligraphie, *n.f.* penmanship
calme, *a.* still, quiet
camarade, *n.m.* comrade, fellow, mate
camion, *n.m.* truck
campagne, *n.f.* country, country-life; campaign
canapé, *n.m.* sofa, couch
canne, *n.f.* cane
cantique, *n.m.* hymn

cap, *n.m.* cape, headland
captif, *a.* prisoner, captive
captiver, *v.* to charm, to enthrall, captivate
car, *conj.* for, because
carabine, *n.f.* cavalry-carbine, rifle
caractère, *n.m.* nature, disposition; character
caractéristique, *a.* distinctive, salient
caraïbe, *a.* Caribbean
cardiaque, *a.* cardiac; **crise cardiaque** heart attack
carlingue, *n.f.* cockpit, cabin
carnassière, *n.f.* game-bag
carré, *a.* square
carré, *n.m.* (vegetable) patch
carrefour, *n.m.* crossroads
carrière, *n.f.* career
carton, *n.m.* cardboard
cas, *n.m.* case, instance
casquette, *n.f.* cap
casser, *v.* to break
casserole, *n.f.* pot, pan
catalan, *a.* Catalan
catastrophe, *n.f.* disaster
cauchemar, *n.m.* nightmare
cause, *n.f.* grounds; cause; **à cause de** on account of, owing to
causer, *v.* to chat, to talk
causerie, *n.f.* talk, lecture
cavalier, *n.m.* knight; gentleman; rider
cave, *n.f.* cellar
ce, *pron.* it, that
ce, cet, cette; ces, *a.* this, that; these, those
céder, *v.* to give up, part with; yield, surrender
ceinture, *n.f.* belt, girdle
cela, *pron.* that
célèbre, *a.* famous
célébrer, *v.* to celebrate, to observe
celui, celle; ceux, celles, *pron.* he, she; those
cendre, *n.f.* ashes, cinders
censeur, *n.m.* censor
cent, *a.* hundred
centaine, *n.f.* about a hundred
cependant, *adv.* meanwhile; nevertheless
certainement, *adv.* certainly
certes, *adv.* to be sure, indeed
cerveau, *n.m.* brain
cervelle, *n.f.* brain(s)
cesse, *n.f.* cease; **sans cesse** unceasingly
cesser, *v.* to cease; leave off, to give up
c'est-à-dire, *conj.* that is to say; i.e.
ceux, *pron.* those
chacun, *pron.* each, every one
chagrin, *a.* & *n.m.* peevish, grumpy; grief, sorrow
chagrinant, *a.* provoking, distressing
chair, *n.f.* flesh; **chair de poule** gooseflesh; **n'être ni chair ni poisson** to be neither flesh nor fowl
chaise, *n.f.* chair, seat
chaleur, *n.f.* heat; ardor, zeal, impetuousness
chambre, *n.f.* room
chameau, *n.m.* camel
champ, *n.m.* field; **sur-le-champ** immediately
champignon, *n.m.* mushroom
changer, *v.* to change, alter; exchange
chanson, *n.f.* song; epic
chant, *n.m.* song, sonnet
chanter, *v.* to sing
chanteur, *n.m.* singer, vocalist; **maître chanteur** blackmailer
chaque, *a.* each, every
charbon, *n.m.* coal
charge, *n.f.* load; charge; **à charge de** on condition
charger, *v.* to load; to put (someone) in charge; **se charger** to undertake
charmant, *a.* delightful, charming
charmer, *v.* to please, delight, charm
charrette, *n.f.* cart, hand-cart
charrue, *n.f.* plough
chasse, *n.f.* hunting
chasser, *v.* to hunt; to drive out, expel
chasseur, *n.m.* hunter, huntsman
chat, *n.m.* cat
château, *n.m.* castle
châtiment, *n.m.* punishment
chaud, *a.* warm, hot
chauffage, *n.m.* heating
chauffer, *v.* to warm, heat
chauffeur, *n.m.* driver, chauffeur
chaume, *n.m.* straw; **toit de chaume** thatched roof
chaussée, *n.f.* roadway
chaussure, *n.f.* shoe
chef, *n.m.* chief, head

chef-d'œuvre, *n.m.* masterpiece
chemin, *n.m.* way, road, track; **chemin de fer** railway
cheminée, *n.f.* fireplace, chimney
chemise, *n.f.* shirt
cher, *a.* dear, beloved; expensive
chercher, *v.* to search, to look for, to seek
chétif, *a.* weak, puny, sickly
cheval, *n.m.* horse
chevalier, *n.m.* knight
chevauchée, *n.f.* ride, cavalcade
chevaucher, *v.* to ride (on horse)
chevet, *n.m.* bed-side
cheveu, cheveux, *n.m.* hair
chevrotant, *a.* quavering, tremulous (voice)
chez, *prép.* at the home of; among
chien, *n.m.* dog
chiffon, *n.m.* rag
chiffre, *n.m.* number, amount
chimérique, *a.* visionary, fanciful
choc, *n.m.* impact
choisir, *v.* to choose, select, pick
choix, *n.m.* choice, selection
choquer, *v.* to shock
chose, *n.f.* thing
chou, *n.m.* cabbage
chrétien, *a.* & *n.* Christian
christianisme, *n.m.* Christianity
chronique, *n.f.* chronicle, news
chroniqueur, *n.m.* reporter, writer of news
chuchoter, *v.* to whisper
chute, *n.f.* fall
ciel, *n.m.* sky; heaven; firmament
cimetière, *n.m.* cemetery
cinq, *a.* five
cinquante, *a.* fifty
cinquième, *a.* fifth
circonstance, *n.f.* circumstance; incident, event
circulation, *n.f.* traffic
circuler, *v.* to circulate, move about
cité, *n.f.* city, large town
citer, *v.* to quote
civil, *a.* civil; courteous; civilian
clair, *a.* clear
clarté, *n.f.* light, brightness
clé, clef, *n.f.* key
clerc, *n.m.* clerk (in lawyer's office)
cligner, *v.* to blink, wink
clignotant, *a.* blinking
cloche, *n.f.* bell
clocher, *n.m.* steeple
clos, *a.* shut up, closed
clôture, *n.f.* enclosure, fence; wall
clou, *n.m.* nail
cocasse, *a.* laughable, droll
cocher, *n.m.* driver, coachman
cochon, *n.m.* pig, swine
cocotier, *n.m.* coconut palm
cœur, *n.m.* heart; spirit, courage; **à cœur joie** to one's heart content; **par cœur** by rote, by memory
coiffé, *a.* wearing (a hat)
coiffeur, *n.m.* hairdresser, barber
coin, *n.m.* corner
col, *n.m.* neck; pass (of mountain)
colère, *n.f.* anger
collège, *n.m.* secondary school
collet, *n.m.* collar; **saisir au collet** to collar, to seize by the scruff of the neck
combattre, *v.* to fight
combien, *adv.* how much, how many
comble, *n.m.* heaped measure; height, peak; **à son comble** at the highest pitch
combler, *v.* to fill, fulfil
comédie, *n.f.* comedy, play
comédienne, *n.f.* actress
comice, *n.m.*, **agricole** agricultural show
commandement, *n.m.* order, command
comme, *adv.* as, like
commencement, *n.m.* beginning
commencer, *v.* to begin, start
comment, *adv.* how
commentaire, *n.m.* comment
commerçant, *n.m.* merchant, tradesman
commettre, *v.* to commit, perpetrate
commis, *n.m.* clerk
commissaire, *n.m.*, **de police** police superintendent
commissariat, *n.m.*, **de police** police station
commotion, *n.f.* disturbance; concussion
commun, *a.* common
communauté, *n.f.* community
commune, *n.f.* community; small town
communiquer, *v.* to communicate
compagnie, *n.f.* company

compagnon, *n.m.* comrade; fellow (worker, soldier, etc.)
comparaître, *v.* to appear (before a court)
complaisant, *a.* accommodating, obliging
complot, *n.m.* conspiracy, plot
comporter (se), *v.* to behave, to act
composer, *v.* to compose, to come to term; se **composer de** to consist of
compositeur, *n.m.* composer
comprendre, *v.* to comprise, include; understand; y **compris** including
compte, *n.m.* account; **rendre compte de** to report on, to give an account of; **se rendre compte** to realize, understand
compter, *v.* to count; reckon; **compter** + *inf.* to expect to; **compter sur quelqu'un** to rely on someone
comptoir, *n.m.* counter
comte, *n.m.* count
concentrer, *v.* to concentrate, focus
concerner, *v.* to affect, concern
concevoir, *v.* to imagine, to conceive
concierge, *n.m.* & *f.* caretaker of house, door-keeper
concilier, *v.* conciliate, reconcile
conclure, *v.* to conclude
concorder, *v.* to agree, to harmonize
concurrent, *n.m.* competitor, rival
condamnation, *n.f.* conviction, sentence
condamner, *v.* to reprove; condemn
condition, *n.f.* state, rank, station; condition; **poser des conditions** to impose conditions
conducteur, *n.m.* driver
conduire, v. to lead; **se conduire** to behave, to act
conduite, *n.f.* leading, escorting; conduct, behavior
conférence, *n.f.* lecture
confiance, *n.f.* confidence, trust, reliance
confier, *v.* to entrust, trust; to confide
confiner, *v.* to imprison, confine
confins, *n.m. pl.* borders, confines (of a county)
confondre, *v.* to disconcert, baffle, confound
conforme, *a.* corresponding, congruent
conformément, *adv.* **à** according to, in conformity with
confrère, *n.m.* colleague
congé, *n.m.* leave, permission to depart
congédier, *v.* to dismiss, discharge
conjuration, *n.f.* plot, conspiracy
conjurer, *v.* to entreat, beseech
connaissance, *n.f.* acquaintance; **faire connaissance** to become acquainted; **perdre connaissance** to lose consciousness, faint
connaître, *v.* to know, to be versed
conquérant, *n.m.* conqueror
conquérir, *v.* to gain over, conquer
conquête, *n.f.* conquest
consacrer, *v.* to dedicate, consecrate
consciencieusement, *adv.* conscientiously
conscient, *a.* conscious, fully aware of
conseil, *n.m.* council; advice; **tenir conseil** to hold a council
conseiller, *v.* to advise, to recommend
conseiller, *n.m.* counsellor, adviser
consentement, *n.m.* consent, assent
consentir, *v.* to agree, consent
conséquence, *n.f.* result, consequence, outcome
conséquent, *a.* following; **par conséquent** accordingly, consequently
conserver, *v.* to preserve, to keep
considérer, *v.* to regard; to deem; to contemplate
consoler, *v.* to console, comfort
consommation, *n.f.* drink (in café)
consommer, *v.* to accomplish, consummate; to consume
constamment, *adv.* constantly
constater, *v.* to ascertain; to find out; to state
constituer, *v.* to form, make up
construire, *v.* to build, erect; to assemble
consulter, *v.* to consult
conte, *n.m.* story, tale
contempler, *v.* to gaze at
contenance, *n.f.* bearing, countenance
contenir, *v.* to contain; to restrain
content, *a.* satisfied, pleased
contenter, *v.* to satisfy, to content, to gratify
conter, *v.* to tell, relate

conteur, *n.m.* narrator, story-teller
continuer, *v.* to continue, carry on, keep on
contourner, *v.* to pass around; to get round (the law)
contrainte, *n.f.* constraint, restraint; coercion
contraire, *a.* contrary, adverse, opposed
contravention, *n.f.* infringement, minor offense; **dresser une contravention** to give a citation; to cite
contre, *prép.* against
contrôleur, *n.m.* inspector, supervisor
convaincre, *v.* to convince; to convict
convenir, *v.* to suit, fit; to agree
converser, *v.* to talk, converse
convertir, *v.* to convert, turn into
convoquer, *v.* to summon; to invite
coq, *n.m.* rooster
coquette, *n.f.* flirt, coquette
cor, *n.m.*, **de chasse** hunting-horn
corde, *n.f.* rope, line, cord
cordonnière, *n.f.* shopkeeper whose business is selling shoes
corne, *n.f.* horn, antler
corps, *n.m.* body, organized group of men
corpulence, *n.f.* stoutness
corridor, *n.m.* passage, corridor
corriger, *v.* to correct; to chastise, to set right
corse, *a.* Corsican
costume, *n.m.* dress, suit
côte, *n.f.* slope; shore, coast
côté, *n.m.* side; **de côté** sideways; **à côté de** next to; beside; **de son côté** for his part
côtoyer, *v.* to coast along, keep close to; to border
cou, *n.m.* neck
coucher, *v.* to lay; to lie; **se coucher** to go to bed
coucher, *n.m.* setting (of sun); bedtime
coudre, *v.* to sew
couler, *v.* to flow; to pour
couleur, *n.f.* color
couloir, *n.m.* passage, corridor
coup, *n.m.* knock, blow; **tout à coup** suddenly; **d'un seul coup** all of a sudden
coupable, *a.* guilty
couper, *v.* to cut; to cut off
cour, *n.f.* court; yard, courtyard; **faire la cour** to court, to woo
courageux, *a.* brave, courageous
courant, *a.* running; common; **être au courant de** to know all about
courir, *v.* to run; to be heading for; **le bruit court** it is rumored that . . .
courrier, *n.m.* mail; post
courroie, *n.f.* strap, belt
cours, *n.m.* flow, path; **donner libre cours à** to give free play to; **au cours de** during
course, *n.f.* racing
court, *a.* short; **à court de** short of
courtisan, *n.m.* courtier, sycophant
courtoisie, *n.f.* politeness, courtesy, urbanity
cousin, *n.m.* cousin; gnat
couteau, *n.m.* knife
coûter, *v.* to cost; **coûte que coûte** at all cost, whatever the cost
coutume, *n.f.* habit, custom
couvent, *n.m.* convent, cloister, monastery
couvercle, *n.m.* lid, cover
couverture, *n.f.* cover, blanket
couvrir, *v.* to cover, overlay; **se couvrir** to become overcast
crabe, *n.m.* crab
cracher, *v.* to spit; expectorate
craignant *see* **craindre**
craindre, *v.* to fear, dread
crainte, *n.f.* fear
crâne, *n.m.* skull
crayon, *n.m.* pencil
créance, *n.f.* debt, claim
créancier, *n.m.* creditor
crête, *n.f.* crest, ridge
creuser, *v.* to excavate; to deepen; to rack
creux, *a.* hollow
crever, *v.* to die; burst
cri, *n.m.* cry, shout; call
crier, *v.* to cry; to shout
crisper, *v.* to contract; **visage crispé** face contorted (with pain)
critique, *a.* critical
critique, *n.m.* critic
critiquer, *v.* to criticize, censure
croire, *v.* to believe; to listen to

croiser, *v.* to cross
croix, *n.f.* cross
croyable, *a.* believable, credible
croyance, *n.f.* faith, belief
croyant, *n.m.* believer, faithful
cru, *a.* raw
cruauté, *n.f.* cruelty
crucifix, *n.m.* crucifix, cross
cuillère, *n.f.* spoon
cuir, *n.m.* leather
cuire, *v.* to cook
cuisine, *n.f.* kitchen; **faire la cuisine** to do the cooking, to cook
cuivre, *n.m.* brass
culminant, *a.*, **point** highest point; height, climax; zenith
culotte, *n.f.* pants, breeches
cultiver, *v.* to cultivate, raise
culture, *n.f.* culture; education, learning
curé, *n.m.* parish priest
curer, *v.* to pick, to clean
curieux, *a.* interested, curious
cyniquement, *adv.* cynically, shamelessly

D

daigner, *v.* to condescend
dame, *n.f.* lady
dangereux, *a.* dangerous
dans, *prép.* in
danser, *v.* to dance
dater, *v.* to go back to
davantage, *adv.* more
de, *prép.* from; of
débâcle, *n.f.* downfall, collapse
débarquement, *n.m.* landing
débarquer, *v.* to land
débarrasser, *v.* to disencumber, clear; to relieve
débat, *n.m.* discussion, dispute; **trancher un débat** to settle a dispute
débordements, *n.m. pl.* excesses, dissipation, dissolute living
déborder, *v.* to overflow; **débordé de travail** overwhelmed, snowed under with work
debout, *adv.* upright, standing
débrouiller (se), *v.* to manage; to extricate oneself
début, *n.m.* beginning
deçà de (en), *loc. adv.* on this side
décéder, *v.* to die
décès, *n.m.* death
déchaîner, *v.* to unleash; **se déchaîner** break, rage
décharger, *v.* to unload; to relieve
déchiqueter, *v.* to cut, slash into shreds
déchirement, *n.m.* crushing grief
déclarer, *v.* to declare; make known; **se déclarer** avow one's love
décollage, *n.m.* take-off
décor, *n.m.* setting (of stage)
décorer, *v.* to ornament
découragement, *n.m.* discouragement, despondency
décourager, *v.* to dishearten, deter, discourage
découvert, *a.* uncovered, open
découverte, *n.f.* discovery
découvrir, *v.* to perceive, discern; to discover
décrire, *v.* describe
déçu, *a.* disappointed
dédaigner, *v.* to scorn, disdain; to reject, spurn
dédain, *n.m.* contempt, disdain, scorn
dedans, *adv.* inside, within
défaillant, *a.* faint, weakened
défaite, *n.f.* defeat
défaut, *n.m.* want of; defect, shortcoming
défendre, *v.* to forbid; to defend; to protest; **se défendre** to defend oneself
défenseur, *n.m.* protector; defender
défier, *v.* to challenge, to defy
défiler, *v.* to defile, march past
définitif, *a.* final, permanent
dégager, *v.* to redeem; to emit
dégourdir, *v.* to smarten up, to sharpen the wits
dégoût, *n.m.* disgust, distaste, loathing; **prendre en dégoût** to take a dislike to
dégoûté, *a.* disgusted; **d'un air dégoûté** with repugnance
degré, *n.m.* step; degree
dégriser, *v.* to sober up, to bring to one's senses

déguisement, *n.m.* dissimulation, make-up
déguiser, *v.* to disguise
dehors, *adv.* out, outside
dehors, *n.m. pl.* outward appearance
déjà, *adv.* already; before, previously
déjeuner, *v.* to have lunch
déjeuner, *n.m.* lunch, luncheon
délasser (se), *v.* to take some rest
délibérer, *v.* to confer
délicat, *a.* refined, sensitive; nice
délivrer, *v.* to free, to rescue, to release; **se délivrer** to rid oneself, to get rid
déloyal, *a.* disloyal, unfaithful
déloyauté, *n.f.* perfidy, treachery, disloyalty
demain, *adv.* to-morrow
demande, *n.f.* request, petition, application; **demande en mariage** marriage proposal
demander, *v.* to ask, to inquire, to beg, to want
démarche, *n.f.* step; **faire une démarche auprès de** to approach
démêlé, *n.m.* unpleasant dealings, contention
déménager, *v.* to move
démence, *n.f.* madness, folly
demeure, *n.f.* residence, dwelling place
demeurer, *v.* to stay, stop, dwell; to live, reside
demi, *a.* half
démodé, *a.* old-fashioned, out of fashion, obsolete
demoiselle, *n.f.* unmarried woman; gentlewoman
démolir, *v.* to demolish; to overthrow; to ruin
démontrer, *v.* to demonstrate
démoraliser, *v.* to dishearten
dénouement, *n.m.* issue; outcome; ending
dent, *n.f.* tooth
dénuer, *v.* to divest, strip; **dénué d'argent** without money
départ, *n.m.* departure; outset
dépasser, *v.* to pass beyond; to exceed
dépêcher (se), *v.* to hasten, to be quick
dépeindre, *v.* to depict, describe
dépendre, *v.* to depend; **cela dépend** we shall see; that all depends
dépenser, *v.* to spend; consume
dépit, *n.m.* resentment; **en dépit de** in spite of, in defiance of
déplacer, *v.* to take the place of, oust
déplorable, *a.* pitiable, deplorable
déposer, *v.* to deposit; **déposer en justice** to give evidence
déposition, *n.f.* statement (made by witness)
dépouiller, *v.* to strip, despoil
dépression, *n.f.* dejection
depuis, *prép.* since, for; from
déraisonnable, *a.* irrational, unwise, senseless, foolish
déranger, *v.* to disturb, trouble
dernier, *a.* last, latest; highest; the latter
dérober, *v.* to steal; to conceal
dérouler (se), *v.* to come, to unfold, to develop, take place
déroute, *n.f.* rout, flight
derrière, *prép.* behind, at the back of
dès, *prép.* since, from; as early as; **dès que** as soon as; **dès lors** from that time onwards
désappointer, *v.* to disappoint
désarmer, *v.* to disarm, to mollify
désastre, *n.m.* disaster, calamity
désavantage, *n.m.* drawback; the worst of it
descendre, *v.* to come down, go down
désemparé, *a.* at a loss
désennuyer, *v.* to amuse (someone who is bored)
désert, *n.m.* (Sahara) desert
déserter, *v.* to desert
désespéré, *a.* desperate, hopeless
désespérer, *v.* to despair, to lose hope
désespoir, *n.m.* despair
déshonneur, *n.m.* disgrace, shame
déshonorer, *v.* to dishonor, disgrace
désigner, *v.* to appoint, indicate
désir, *n.m.* desire, wish
désirer, *v.* to desire, want, wish
désolation, *n.f.* grief, distress
désolé, *a.* grieved, distressed
désoler, *v.* to grieve
désormais, *adv.* henceforth, from now on

dessein, *n.m.* design, plan, project
dessin, *n.m.* drawing, sketch
dessiner, *v.* to draw, sketch
dessous, *adv.* under, below, beneath
dessus, *adv.* above, over
destin, *n.m.* fate, destiny
déterminer, *v.* to settle; to cause; **se déterminer** to make up one's mind
détester, *v.* to hate, detest
détour, *n.m.* roundabout way
détourner, *v.* to turn away; to divert; to embezzle
détresse, *n.f.* grief, anguish, distress
détruire, *v.* to demolish, destroy
dette, *n.f.* debt; **avoir des dettes par-dessus la tête** to be head over ears in debt
deuil, *n.m.* mourning; bereavement; sorrow
deux, *a.* two
deuxième, *a.* second
devancer, *v.* to overtake, outstrip; to forestall
devant, *adv.* ahead
devant, *n.m.* front (part)
devant, *prép.* before, in front of
devanture, *n.f.* frontage, shop-front, shop-window
devenir, *v.* to become
deviner, *v.* to guess; to predict
dévisager, *v.* to stare at
deviser, *v.* to chat, talk
dévoiler, *v.* to reveal, disclose; to unmask
devoir, *n.m.* duty
devoir, *v.* should, ought; must, have to
dévot, *a.* devout, religious, pious
dévot, *n.m.* religious person
dévoué, *a.* devoted, staunch, loyal
diable, *n.m.* devil
diagnostiquer, *v.* to diagnose
dicter, *v.* to dictate
diète, *n.f.* total abstinence (*méd.*); **diète hydrique** liquid diet
Dieu, *n.m.* God
différer, *v.* to postpone, defer; to differ
difficulté, *n.f.* difficulty
digne, *a.* deserving, worthy; dignified
dignité, *n.f.* dignity
dilater (se), *v.* to expand, swell
diligence, *n.f.* stage-coach
dimanche, *n.m.* Sunday
diminuer, *v.* to lessen, diminish
dîner, *v.* to dine
dire, *v.* to say, tell; to express; **dit** known as
directeur, *n.m.* manager, director
diriger, *v.* to direct, control; guide, lead
discourir, *v.* to discourse; to air one's opinions
discours, *n.m.* talk, speech; oration, address
discuter, *v.* to debate, discuss
disparaître, *v.* to disappear, to vanish
disperser, *v.* to scatter, to spread; to disperse
disposer, *v.* to set out, arrange, dispose; to provide; **se disposer à** to make ready to, to be about to; **bien disposé** in good humor
disputer, *v.* to argue, dispute; quarrel
dissimuler, *v.* to conceal, cover up
dissiper, *v.* to dispel; to squander; to dissipate
dissuader, *v.* to persuade not to; dissuade
distinguer, *v.* to discern, perceive; to honor
distingué, *a.* refined; distinguished
distraire, *v.* to divert, amuse; **se distraire** to seek, take relaxation; to amuse oneself
divers, *a.* different, varied, changing; several
divertir, *v.* to entertain, amuse
divertissement, *n.m.* diversion, entertainment
divin, *a.* divine, holy, sacred
divulguer, *v.* to disclose
dix, *a.* ten
dizaine, *n.f.* half a score, about ten; ten
doigt, *n.m.* finger
doléances, *n.f. pl.* grievances, complaints
domaine, *n.m.* estate, property, domain
domestique, *n.m.* & *f.* servant
dominer, *v.* to dominate, rule; to master, control
dommage, *n.m.* damage, injury; **dom-**

mages-intérêts damages; **quel dommage!** what a pity!
don, *n.m.* natural talent, quality
donc, *conj.* therefore, hence, so
donnée, *n.f.* datum, data, fundamental idea
donner, *v.* to give; to furnish; to attribute to
dont, *pron.* from, by, with whom or which; whose
dorer, *v.* to gild; to glaze
dormir, *v.* to sleep
dos, *n.m.* back
double, *a.* twofold; double
doucement, *adv.* softly, gently; slowly
douceur, *n.f.* kindness; pleasantness, gentleness, mildness
douleur, *n.f.* suffering; pain, ache; sorrow, grief
doute, *n.m.* uncertainty, doubt; **sans doute** probably
douter, *v.* to doubt; **se douter** to suspect
doux, douce, *a.* sweet; smooth, soft; gentle
douzaine, *n.f.* dozen
douze, *a.* twelve
douzième, *a.* twelfth
dramatique, *a.* dramatic
drame, *n.m.* play, drama
drap, *n.m.* cloth
drapeau, *n.m.* flag
dresser, *v.* to set up; to prepare; to plan; to train
droit, *a.* straight, upright; **droite** right hand; right (side)
droit, *n.m.* right; law
drôle, *a.* funny; odd, droll
duc, *n.m.* duke
duel, *n.m.* encounter, duel; **provoquer en duel** to call out, challenge to a duel
duo, *n.m.* duet
dupe, *n.f.* dupe
duper, *v.* to fool; to dupe
dur, *a.* hard; difficult; harsh; severe; **être dur à cuire** to be a tough nut
durant, *prép.* during
durer, *v.* to last, endure; to hold out
dû, dus, dut *see* **devoir**
duvet, *n.m.* down, fluff

E

eau, *n.f.* water
ébrécher, *v.* to make a notch; to damage
écarter, *v.* to separate; to brush aside; push aside; **s'écarter** to move apart, diverge
échanger, *v.* to exchange
échapper, *v.* to escape
échéance, *n.f.* date of payment, maturity of bill
échec, *n.m.* failure, defeat; *pl.* chess
échelle, *n.f.* ladder
échouer, *v.* to fail
éclair, *n.m.* flash of lightning
éclairer, *v.* to light, to illuminate; to enlighten
éclat, *n.m.* flash; glamour
éclatant, *a.* bursting; glaring; brilliant, illustrious
éclater, *v.* to burst; explode; **laisser éclater sa colère** to give vent to one's anger; **éclater de rire** to burst out laughing
écœurer, *v.* to disgust, sicken, nauseate
école, *n.f.* school
écolier, *n.m.* schoolboy
écouter, *v.* to listen to; to pay attention
écraser, *v.* to crush, to kill; to smash
écrier (s'), *v.* to exclaim
écrire, *v.* to write
écrit, *n.m.* writing; **par écrit** in writing
écriture, *n.f.* handwriting; **l'Écriture sainte** Holy Scripture
écrivain, *n.m.* author, writer
écrouler (s'), *v.* to collapse
édifice, *n.m.* building
effacer, *v.* to obliterate, efface; **effacer de sa mémoire** to blot out of one's memory
effarer, *v.* to frighten, scare, startle
effectivement, *adv.* as a matter of fact
effectuer, *v.* to carry out, to accomplish
effet, *n.m.* effect, result; **en effet** as a matter of fact; indeed
effondrer (s'), *v.* to cave in, break down
efforcer (s'), *v.* to strive, to do one's utmost

effort, *n.m.* exertion, strain, stress, effort
effrayer, *v.* to frighten; **s'effrayer** to be frightened; to get frightened
effroi, *n.m.* fright, terror, fear
égal, égaux, *a.* equal, same
également, *adv.* equally; likewise
égaler, *v.* to equal, be equal to
égalité, *n.f.* equality
égard, *n.m.* respect, consideration; **à l'égard de** with regard to; towards
égarer, *v.* to lead astray; to mislay; to bewilder
églantier, *n.m.* wild rose bush
église, *n.f.* church
égoïste, *n.m.* selfish person
eh bien!, *interj.* well, now then!
élan, *n.m.* spring, dash; impetus, outburst
électriser, *v.* to electrify (an audience)
élevage, *n.m.* stock-farming
élève, *n.m. & f.* pupil, student
élever (s'), *v.* to rise up; to work one's way up; **bien élevé** well-bred
éloge, *n.m.* eulogy; **faire l'éloge de** to speak highly of, to praise
éloigner, *v.* to get out of the way
éloquemment, *adv.* eloquently
embarquer, *v.* to embark; to enplane
embarras, *n.m.* obstruction, obstacle; difficulty, trouble
embarrasser, *v.* to embarrass; to trouble; to confuse
embellir, *v.* to embellish; to beautify
emblée (d'), *adv.* directly, right away
emblème, *n.m.* crest, symbol, sign
embrasser, *v.* to embrace, to hug; to contain, include
embûche, *n.f.* ambush; **dresser une embûche** to lay a trap
émeraude, *n.f.* emerald
émerveiller, *v.* to amaze, to fill with admiration
émeut *see* **émouvoir**
émir, *n.m.* emir, ameer
emmener, *v.* to lead, take away
émoi, *n.m.* agitation, emotion
émouvoir, *v.* to move; to affect, touch
emparer (s'), *v.* to take a hold of, lay hands on
empêchement, *n.m.* hindrance
empêcher, *v.* to prevent, hinder; **s'empêcher** to refrain; **je ne pus pas m'empêcher de rire** I couldn't help laughing
empereur, *n.m.* emperor
empiler, *v.* to stack, to pile up
empirer, *v.* to worsen, to grow worse
emploi, *n.m.* occupation, post, work
employer, *v.* to use, to employ
empoisonner, *v.* to poison, to infect
emporter, *v.* to carry away; to carry off; **l'emporter** to get the better of; **s'emporter** to lose one's temper
empressement, *n.m.* eagerness, readiness
empresser (s'), *v.* to hurry, hasten
emprisonnement, *n.m.* confinement, imprisonment
emprisonner, *v.* to put in prison, imprison
emprunter, *v.* to borrow
ému, *see* **émouvoir**
en, *prép.* in, into
en, *adv. & pron.* from there; thence
encadrer, *v.* to frame; enclose
enchaîner, *v.* to link, connect
enchanter, *v.* to delight, charm
enclos, *n.m.* churchyard
encombre, *n.m.* **(sans)** without hindrance
encombrement, *n.m.* congestion (of traffic)
encore, *adv.* still; furthermore; more, again
endetter (s'), *v.* to get into debt
endormir (s'), *v.* to fall asleep
endroit, *n.m.* place; right side
énergie, *n.f.* energy
énerver, *v.* to irritate; to get on one's nerves
enfance, *n.f.* childhood; adolescence
enfant, *n.m. & f.* child
enfer, *n.m.* hell, Hades
enfermé, *n.m.* shut in, closeted
enfin, *adv.* finally, at last; in fact
enfoncer (s'), *v.* to penetrate, plunge, go deep into
enfuir (s'), *v.* to flee, fly; to run away
engagement, *n.m.* pledge, agreement
engager, *v.* to engage, to start; to hire; **s'engager** to pledge one's word
engloutir, *v.* to swallow up
enivrer, *v.* to intoxicate; to elate

enjoindre, *v.* to charge, call upon; to prescribe
enlever, *v.* to take away, remove, steal
ennemi, *a.* hostile
ennoblir, *v.* to ennoble
ennui, *n.m.* boredom, worry, anxiety; annoyance
ennuyer, *v.* to bore, weary; **s'ennuyer** to be bored, to suffer from boredom
ennuyeux, -euse, *a.* boring, tedious, tiresome, dull
énoncer, *v.* to state, set forth, articulate
énorme, *a.* huge, enormous
enquérir (s'), *v.* to inquire, ask about
enquêter, *v.* to hold an inquiry; to inquire into
enrayer, *v.* to arrest, check (a disease)
enrichir, *v.* to make wealthy; **s'enrichir** to grow rich; to make money
enrôler, *v.* to enlist
enrouler, *v.* to roll up
enseigne, *n.f.* sign, sign-board
enseignement, *n.m.* education, instruction
enseigner, *v.* to teach
ensemble, *adv.* together
ensuite, *adv.* afterwards, then
entamer, *v.* to begin, commence, start (a conversation)
entendre, *v.* to hear; to understand; **bien entendu** of course, certainly
enterrer, *v.* to bury
entêtement, *n.m.* obstinacy, stubbornness
entêter (s'), *v.* to be obstinate, stubborn
entier, -ière, *a.* entire, whole; complete
entièrement, *adv.* entirely, wholly, completely
entourer, *v.* to surround; to encircle
entracte, *n.m.* intermission
entrain, *n.m.* liveliness; spirit; zest; gusto
entraîner, *v.* to carry away; to produce a consequence; to entail, involve; to train
entre, *prép.* between
entrée, *n.f.* admission; entry; entrance
entreprendre, *v.* to undertake; to take in hand
entreprise, *n.f.* undertaking; venture
entrer, *v.* to enter
entre-temps, *adv.* meanwhile
entretenir (s'), *v.* to talk, converse with
entrevoir, *v.* to catch a glimpse
entrouvrir, *v.* to half-open; to set (door) ajar
énumérer, *v.* to count up
envahir, *v.* to invade, overrun; to encroach upon
envers, *n.m.* reverse; wrong side
envers, *prép.* towards
envie, *n.f.* desire, longing; **avoir envie** to want; to have a fancy for
envier, *v.* to envy; to covet; to begrudge
envieux, *a.* envious
environ, *adv.* about
environs, *n.m. pl.* outskirts, vicinity
envisager, *v.* to consider, contemplate
envoler (s'), *v.* to fly away; to fly off
envoyer, *v.* to send
épais, -aisse, *a.* thick
épanouir (s'), *v.* to beam; to open out, bloom
épargner, *v.* to spare
épaule, *n.f.* shoulder
épauler, *v.* to bring (gun) to the shoulder, to take aim
épée, *n.f.* sword
éperonner, *v.* to spur, put spurs to
épicerie, *n.f.* grocer's shop, grocery
épidémie, *n.f.* epidemic
épier, *v.* to watch; to spy upon; to be on the look-out
épingle, *n.f.* pin
épluchures, *n.f. pl.* refuse
époque, *n.f.* era, age; time
épouser, *v.* to marry, wed
épouvantable, *a.* dreadful, frightful
épouvante, *n.f.* terror, fright
épouvanter, *v.* to terrify; to strike with terror
époux, *n.m.* husband; spouse
éprendre (s'), *v.* to fall in love
épreuve, *n.f.* trial, test; ordeal, affliction
épris, *a.* in love; enamoured
éprouver, *v.* to feel, experience; to test
épuisé, *a.* exhausted; tired out, worn out

épuiser, *v.* to exhaust; to drain; to wear, tire
équitation, *n.f.* horsemanship, riding
erreur, *n.f.* mistake, blunder; error
érudit, *a.* & *n.m.* learned, scholarly; scholar
érudition, *n.f.* learning, scholarship, erudition
escadrille, *n.f.* squadron
escalader, *v.* to climb
escale, *n.f.* stop; **vol sans escale** non-stop flight
escalier, *n.m.* staircase
esclavage, *n.m.* slavery; bondage
escrime, *n.f.* fencing, swordsmanship; **faire de l'escrime** to go in for fencing
espace, *n.m.* space; distance, interval
Espagne, *n.f.* Spain
espagnol, *a.* Spanish
espèce, *n.f.* kind, sort; species
espérance, *n.f.* hope
espérer, *v.* to hope
espoir, *n.m.* hope
esprit, *n.m.* spirit; mind; wit
essai, *n.m.* test; attempt; trial
essayer, *v.* to test; to try; to try on
essuyer, *v.* to endure, suffer; be subjected to (insults)
est, *n.m.* east
estime, *n.f.* esteem, regard; opinion
estimer, *v.* to consider, deem; to estimate
établir, *v.* to establish, set up, settle
établissement, *n.m.* institution, founding
étage, *n.m.* story, floor; **premier étage** second floor
étaler, *v.* to display; to expose (goods for sale); to spread out, lay out; **s'étaler** to stretch oneself out
état, *n.m.* condition
État, *n.m.* state, nation
États-Unis (les), *n.m. pl.* the United States (of America)
été, *n.m.* summer
éteindre, *v.* to extinguish, put out
étendre, *v.* to spread, stretch; **étendu mort** lying dead
étendu, *a.* extensive
étincelant, *a.* sparkling, glittering, flashing
étiquette, *n.f.* proprieties, good manners
étoffe, *n.f.* material, fabric
étoile, *n.f.* star
étonnamment, *adv.* amazingly
étonnant, *a.* astonishing, amazing
étonnement, *n.m.* astonishment, amazement
étonner, *v.* to astonish, amaze
étouffer, *v.* to choke, smother
étrange, *a.* strange; peculiar, odd
étranger, *a.* foreign; unknown; extraneous
être, *v.* to be
être, *n.m.* being; **un être humain** a human being
étroit, *a.* narrow; tight, close
étude, *n.f.* study; office (of lawyer)
étudier, *v.* to study
eux, *pron.* them
évacuer, *v.* to evacuate; to withdraw
évader (s'), *v.* to escape; to run away
évangile, *n.m.* gospel
évanouir (s'), *v.* to faint, swoon
évasif, *a.* evasive
évasion, *n.f.* escape
éveiller, *v.* to awaken, wake up
événement, *n.m.* event; occurrence, incident
éventualité, *n.f.* possibility, contingency
évidemment, *adv.* certainly, of course
évincer, *v.* to evict, eject; to oust, supplant
éviter, *v.* to avoid; to shun
évoquer, *v.* to call to mind
exactement, *adv.* exactly
exalter, *v.* to magnify, dignify, ennoble
examen, *n.m.* examination
examiner, *v.* to inspect, scrutinize, investigate
exaspérer, *v.* to irritate, provoke, exasperate
exaucer, *v.* to fulfil (wish); to grant
excéder, *v.* to overwork, wear out; exceed; to overtax (one's) patience
exceller, *v.* to excel
excepté, *prép.* except, but
excès, *n.m.* excess

exciter, *v.* to animate; to arouse; to stimulate
exclamer (s'), *v.* to exclaim
excuser (s'), *v.* to apologize; to excuse oneself
exécrable, *a.* loathsome, detestable
exécrer, *v.* to loathe, detest
exécuter, *v.* to carry out; to perform; to execute
exemple, *n.m.* example; **par exemple** for instance
exercer, *v.* to practise; follow, pursue; to carry on
exhaler, *v.* to breathe (a sigh); to exhale, give out
exhorter, *v.* to exhort, urge
exigence, *n.f.* (unreasonable) demand
exiger, *v.* to demand, require
exiler, *v.* to banish, exile
existence, *n.f.* life
exode, *n.m.* Exodus
exorde, *n.m.* introduction, beginning
explication, *n.f.* explanation
expliquer, *v.* to expound, elucidate, explain
exploit, *n.m.* feat, achievement, deed
exploiter, *v.* to exploit, to work; to take advantage of
exposé, *n.m.* statement, account (of facts)
exposer, *v.* to expose; to show; to set forth
expressément, *adv.* distinctly, explicitly
exprimer, *v.* to express; to voice
extasier (s'), *v.* to be in, go into, ecstasies
exténuer, *v.* to exhaust, tire out
exterminer, *v.* to wipe out, destroy
extrême, *a.* utmost; intense, excessive
extrémité, *n.f.* end; tip; extremity

F

fabliau, *n.m.* short tale in verse
fabricant, *n.m.* maker, manufacturer
fabrique, *n.f.* factory
fabriquer, *v.* to manufacture; to make
fabuleux, -euse, *a.* fabulous, incredible
façade, *n.f.* front, frontage
face, *n.f.* face; front; **faire face à** to face; to meet; to cope with; **en face de** opposite
facétie, *n.f.* joke, jest
facétieux, -euse, *a.* facetious
fâcher (se), *v.* to get angry; to lose one's temper
fâcheux, -euse, *a.* troublesome, annoying; **il est fâcheux** it is a pity, unfortunate
facile, *a.* easy; ready, quick
facilement, *adv.* easily
facilité, *n.f.* easiness; aptitude, talent
façon, *n.f.* manner, way; **de façon que** so that, so as to
facteur, *n.m.* postman
faible, *a.* weak
faiblesse, *n.f.* weakness
faillir, *v.* to fail; **j'ai failli manquer** I all but missed; I nearly missed
faim, *n.f.* hunger; **avoir faim** to be hungry
faire, *v.* to make; to do; to arrange; to form; to say; **se faire** to become, to grow, to get
fait, *n.m.* fact; act, deed; feat, achievement
fait-divers, *n.m.* news item
falloir, *v.imp.* to be necessary
falsifier, *v.* to adulterate, falsify
fameux, -euse, *a.* famous
famille, *n.f.* family
fantaisie, *n.f.* imagination, fancy
fantoche, *n.m.* marionette, puppet
farce, *n.f.* practical joke; farce
farceur, *n.m.* joker, humorist
farine, *n.f.* flour
farouche, *a.* fierce, wild, savage
fatalement, *adv.* inevitably
fatigue, *n.f.* tiredness
fatiguer, *v.* to tire; to make weary
fatras, *n.m.* jumble, medley (of ideas)
faute, *n.f.* lack, need; mistake, error; **être en faute** to be in the wrong
fauteuil, *n.m.* arm-chair
fauve, *n.m.* wild beast
faux, -sse, *a.* false
faux, *n.m.* forgery
faveur, *n.f.* favor; **à la faveur de la nuit** under cover of the night
favorable, *a.* propitious, favorable
favoriser, *v.* to patronize; to promote, encourage

feignant *see* **feindre**
feindre, *v.* to feign; to pretend
félicité, *n.f.* blissfulness
féliciter, *v.* to congratulate, compliment
femme, *n.f.* woman; wife
fenêtre, *n.f.* window
féodal, -aux, *a.* feudal
fer, *n.m.* iron; **fer forgé** wrought iron
ferme, *a.* firm, steady; **tenir ferme** to stand fast
ferme, *n.f.* farm, farmhouse
fermer, *v.* to close, shut
fermier, *n.m.* farmer
fesser, *v.* to spank
festoyer, *v.* to regale, feast, carouse
fête, *n.f.* festivity; holiday
fêter, *v.* to celebrate
feu, feux, *n.m.* fire; ardent desire; love
feuille, *n.f.* leaf
feuilleter, *v.* to turn over the pages (of a book), to leaf through
février, *n.m.* February
fiacre, *n.m.* carriage; (horse-drawn) cab
ficelle, *n.f.* string
ficher, *v.* *(fam.)* to give
fidèle, *a.* faithful, loyal; **les fidèles** the congregation
fier, *a.* proud; haughty
fier (se), *v.* to trust
fierté, *n.f.* pride
fièvre, *n.f.* fever
figure, *n.f.* face; form, shape
figurer (se), *v.* to imagine
fil, *n.m.* thread
filature, *n.f.* spinning-mill
file, *n.f.* file; **à la file** one behind the other
filer, *v.* to spin
filet, *n.m.* net
fille, *n.f.* daughter; girl
fils, *n.m.* son, boy
fin, *a.* fine, first-class, small
fin, *n.f.* end, aim, purpose, object
final, *a.* last; ultimate
finir, *v.* to finish, end
fixe, *a.* firm; intent (gaze); regular, settled
fixer, *v.* to settle, to determine; **se fixer** to settle (in a place)
flacon, *n.m.* bottle, flask
flamboyant, *a.* flaming, blazing, dazzling
flanc, *n.m.* side, flank
flatteur, *n.m.* flatterer, sycophant
fléau, -aux, *n.m.* scourge; plague, pest
flèche, *n.f.* arrow
fléchir, *v.* to give way; to grow weaker; to bend
flétrir, *v.* to fade; to wither up; to denounce
fleur, *n.f.* flower
fleuve, *n.m.* river (that flows into the sea)
flotte, *n.f.* fleet
foi, *n.f.* faith; belief, trust, confidence; **il est de bonne foi** he is quite sincere; **mauvaise foi** dishonesty, insincerity
foie, *n.m.* liver
foin, *n.m.* hay
foire, *n.f.* fair
fois, *n.f.* time, occasion; **une fois** once; **à la fois** at one and the same time
folâtre, *a.* playful, frolicsome
folie, *n.f.* madness; folly; **faire des folies** to be extravagant; to act irrationally
foncé, *a.* dark
fonction, *n.f.* function, office; duty
fond, *n.m.* back, far end; bottom
fondé, *a.* founded, grounded, justified
fonder, *v.* to lay the foundation, to found
fondre, *v.* to melt
fonte, *n.f.* cast iron
for, *n.m.*, **intérieur** conscience, inmost heart
force, *n.f.* strength, vigor; *pl.* armed forces; **force publique** police; **à force de** by means of; by dint of; **dans la force de l'âge** in the prime of life
forcer, *v.* to compel, to force; to do violence
forme, *n.f.* shape; **chapeau haut de forme** top hat
former, *v.* to make, create; to draw up; to shape
fort, *a.* strong, large; stout
fort, *adv.* very, extremely

fortune, *n.f.* fortune, chance; riches; luck
fossé, *n.m.* ditch, trench
fou, fol, folle, *a.* mad, insane; foolish
foudre, *n.f.* lightning; thunderbolt
foudroyant, *a.* terrifying, crushing, overwhelming
fougue, *n.f.* fire, ardor, spirit
fouiller, *v.* to search; to dig; to grope
foule, *n.f.* crowd; throng
fourberie, *n.f.* deceit, cheating
fourchette, *n.f.* fork
fourmi, *n.f.* ant
fourneau, *n.m.* furnace; stove; range
fournir, *v.* to supply; to fill, to complete
fourrure, *n.f.* fur, skin
foyer, *n.m.* home
frais, fraîche, *a.* fresh; cool
frais, *n.m. pl.* expenses, cost
franc, franche, *a.* free, frank; open, candid
français, *a.* French
franchir, *v.* to jump over; to cross
franchise, *n.f.* frankness; openness, candor
frapper, *v.* to strike, hit
frémir, *v.* to quiver; to shake, shudder
fréquentation, *n.f.* company, association
frère, *n.m.* brother; friar
friser, *v.* to curl, wave
frisson, *n.m.* shiver; thrill; shudder
frivole, *a.* shallow, frivolous; flighty
froid, *a.* cold
fromage, *n.m.* cheese
frondeur, *n.m.* critic of authorities
front, *n.m.* brow, forehead
frontière, *n.f.* border, frontier
fronton, *n.m.* ornamental front; façade
frotter, *v.* to rub
fruitier, *a.* **(arbre)** fruit-tree
fruitier, *n.m.* green-grocer
fuir, *v.* to flee, run away
fuite, *n.f.* flight; escape
fumée, *n.f.* smoke
funeste, *a.* deadly, fatal
fureur, *n.f.* fury, rage; passion; **faire fureur** to rage
furieux, -euse, *a.* furious, raging
furtif, -ive, *a.* stealthy, furtive
fusil, *n.m.* gun
fuyant, *a.* fleeing

G

gagner, *v.* to win; to earn; to reach, arrive; to overcome, overtake
gai, *a.* gay, merry
gaieté, *n.f.* mirth, cheerfulness, gaiety
gaillard, *n.m.* sharp fellow; strong, vigorous man
gain, *n.m.* profit; winning; gain; **donner gain de cause** to decide in favor
galamment, *adv.* politely; honorably
galette, *n.f.* flat cake; biscuit
gant, *n.m.* glove, gauntlet
garantir, *v.* to warrant, guarantee; to vouch
garçon, *n.m.* boy, lad; waiter; employee
garde, *n.f.* care, custody; **être sur ses gardes** to beware; to watch out
garder, *v.* to retain; keep; **se garder** to protect oneself; to take care; to refrain from
gardien, *n.m.* care-taker; **gardien de la paix** policeman
gare, *n.f.* (railway) station
gars, *n.m.* young fellow; lad
gaspillage, *n.m.* squandering
gaspiller, *v.* to waste, squander
gâteau, *n.m.* pastry
gâter, *v.* to spoil; to pamper; **gâté** spoilt; favorite
gauche, *a.* left; awkward, clumsy
gaucherie, *n.f.* awkwardness, clumsiness
gaulois, *a.* Gallic
gazeux, -se, *a.* sparkling
géant, *a. & n.m.* giant
geler, *v.* to freeze
gémir, *v.* to groan, moan
gendarme, *n.m.* policeman, gendarme
gêner, *v.* to hinder, obstruct; to embarrass
généreux, -euse, *a.* noble, liberal, openhanded
génie, *n.m.* genius
genou, -oux, *n.m.* knee
genre, *n.m.* family; kind, manner; **genre humain** mankind
gens, *n.m. & f. pl.* people; men and women; **gens de lettres** men of letters
gentil, -ille, *a.* pretty, pleasing, kind
gentilhomme, *n.m.* gentleman, nobleman

geste, *n.f.* (**chanson de**) mediaeval epic chronicle of heroic exploits
geste, *n.m.* gesture, motion
gibecière, *n.f.* game-bag, pouch
gibier, *n.m.* game, wild animals
gifler, *v.* to slap, smack someone's face
gigantesque, *a.* huge, gigantic
gîte, *n.m.* lair, form of hare
glace, *n.f.* ice; mirror
glacial, *a.* icy
glisser, *v.* to slip, skid
gloire, *n.f.* glory; pride
glorieux, -euse, *a.* glorious
glu, *n.f.* glue
gorge, *n.f.* throat
gosier, *n.m.* throat; windpipe
goût, *n.m.* taste; preference; liking; right judgment
goûter, *v.* to taste, enjoy
goutte, *n.f.* drop; spot; small quantity
gouvernante, *n.f.* housekeeper; governess
gouverner (se), *v.* to go by, take pattern by something
grâce, *n.f.* grace; charm, becoming manner; pardon; favor; **obtenir les bonnes grâces** to get into favor; **action de grâces** thanksgiving; **faire grâce** to pardon; **grâce à** thanks to
grain, *n.m.* grain; berry
graisse, *n.f.* grease, fat
grand, *a.* tall; large; great, noble
grand-chose, *n.inv.* much; **cela ne fait pas grand-chose** it is of no great importance; it does not matter much
grandement, *adv.* greatly, amply
grandeur, *n.f.* greatness, majesty; nobility, importance; size
grandir, *v.* to grow up; to increase; to magnify
gras, -sse, *a.* fat; thick
gratuit, *a.* free of charge
gratuitement, *adv.* without charge
grave, *a.* solemn, serious; severe
gravier, *n.m.* gravel
gré, *n.m.* liking, taste; will, pleasure
grêle, *n.f.* hail, hail-storm
grelotter, *v.* to shiver (with cold)
grenier, *n.m.* attic
grièvement, *adv.* severely; gravely, seriously; deeply
grignoter, *v.* to nibble
grille, *n.f.* iron gate, entrance gate
grimace, *n.f.* grin, grimace; falseness, duplicity
grincer, *v.* to grind; to creak; **grincer des dents** to grind one's teeth
grippe, *n.f.* influenza; **prendre en grippe** to take a dislike to
gris, *a.* grey
griser, *v.* to make someone tipsy; **grisé par le succès** intoxicated by success
gros, -sse, *a.* big, bulky
grossir, *v.* to grow bigger; to enlarge, increase
grotesque, *a.* ludicrous, absurd, grotesque
groupé, *a.* collected
guère, *adv.* not much, not many; hardly any
guéridon, *n.m.* pedestal table, stand
guérir, *v.* to cure, heal; to recover
guerre, *n.f.* war
guerrier, -ière, *a.* warlike
guerrier, *n.m.* soldier
guetter, *v.* to lie in wait for; to watch
gueule, *n.f.* mouth (of animals)

H

habile, *a.* clever, skilful, able, capable
habillé, *a.* dressed
habiller, *v.* to dress
habit, *n.m.* dress; coat
habitant, *n.m.* inhabitant, resident, dweller
habiter, *v.* to dwell, live; reside, inhabit
habitude, *n.f.* habit, custom, practice, use
* **hagard,** *a.* haggard, wild-looking; drawn face
* **haie,** *n.f.* hedge
* **haïr,** *v.* to hate, detest
* **haletant,** *a.* panting, breathless; gasping
* **hall,** n.m. entrance hall, lounge
* **halle,** *n.f.* market; **les Halles** Central Market, formerly in Paris
* **halte,** *n.f.* stop; resting place
* **haranguer,** *v.* to harangue; to lecture
* **harceler,** *v.* to harass

* **hardiment,** *adv.* boldly, fearlessly; rashly
* **hargneux, -euse,** *a.* cross, cantankerous; ill-tempered
harmonie, *n.f.* agreement; harmony
harmoniser, *v.* to attune (ideas)
* **hasard,** *n.m.* chance, luck; **au hasard** at random; **par hasard** by accident
* **hâte,** *n.f.* haste, hurry, precipitation
* **hâter (se),** *v.* to hurry, to lose no time
* **hausser,** *v.* to raise, lift; **hausser les épaules** to shrug one's shoulders
* **haut,** *a.* tall; lofty; elevated; upper
* **haut,** *n.m.* top, upper part
* **hautbois,** *n.m.* oboe
* **hauteur,** *n.f.* height, elevation; arrogance
hebdomadaire, *a.* weekly
hébreu, *a.* Hebrew
hélas, *inter.* alas!
herbage, *n.m.* grass-land; pasture
herbe, *n.f.* grass; plant, weed
hérétique, *a.* & *n.* heretical, heretic
* **hérissé,** *a.* shaggy, rough (hair)
héritage, *n.m.* inheritance; legacy
héritier, *n.m.* heir
héroïque, *a.* heroic
* **héros,** *n.m.* hero
hésiter, *v.* to hesitate, waver; to falter
heure, *n.f.* hour; time
heureusement, *adv.* happily; successfully; fortunately
heureux, -euse, *a.* happy; successful; lucky, fortunate
* **heurter,** *v.* to run against, run into; to collide; **se heurter à une difficulté** to come up against a difficulty
hier, *adv.* yesterday
hippodrome, *n.m.* race-course
hirondelle, *n.f.* swallow
histoire, *n.f.* history; story, tale; fib, story; *pl.* fuss
historiette, *n.f.* anecdote, short story
historique, *a.* historical
hiver, *n.m.* winter
homme, *n.m.* man
honnête, *a.* honest; decent, honorable; **honnête homme** gentleman
honneur, *n.m.* honor
* **honnir,** *v.* to disgrace, to dishonor; **honni soit** shame on
* **honte,** *n.f.* shame; **avoir honte** to be ashamed
hôpital, *n.m.* hospital
horloge, *n.f.* clock
horloger, *n.m.* clock and watchmaker
horreur, *n.f.* horror; disgust
horrible, *a.* awful, horryfying
horrifique, *a.* hair-raising
* **hors,** *prép.* out of, outside; **hors d'usage** unserviceable
hôte, *n.m.* host; guest, visitor
hôtesse, *n.f.* inn-keeper
huit, *a.* eight
humain, *a.* human
humanité, *n.f.* humanity; mankind; kindness
humeur, *n.f.* mood; temper
hurlement, *n.m.* howling; yelling
hydravion, *n.m.* sea-plane, hydroplane
hydrique, *a.* hydrous

I

ici, *adv.* here; now
idée, *n.f.* idea, notion; **idée fixe** obsession
identifier, *v.* to identify, to establish the identity
ignorer, *v.* not to know; to be unaware of; to ignore
île, *n.f.* island
illégitime, *a.* illegitimate
illusionner (s'), *v.* to delude, deceive oneself
illusoire, *a.* illusory; illusive
illustre, *a.* famous, renowned, illustrious
illustrer (s'), *v.* to become famous
imaginer (s'), *v.* to think, fancy; to delude onself
imiter, *v.* to imitate; to copy
immédiatement, *adv.* without delay, immediately
immense, *a.* immeasurable, vast, huge, immense
immeuble, *n.m.* building, house
imminent, *a.* impending, imminent
immobile, *a.* motionless, still; unmoved
impérieux, -euse, *a.* imperative; pressing

impitoyable, *a.* ruthless, merciless; unrelenting
implanter (s'), *v.* to take root
importer, *v.* to be of importance; **n'importe quoi** anything, no matter what
importuner, *v.* to bother, pester; to annoy, trouble
imposant, *a.* awesome; imposing, dignified
imposé, *a.* dictated, prescribed
impressionnant, *a.* impressive; sensational (news)
impressionner, *v.* to impress, to act on
imprévu, *a.* unforeseen; unexpected
impuissance, *n.f.* helplessness, impotence
inapte, *a.* unfit
inattendu, *a.* unexpected, unlooked for
inciter, *v.* to incite, urge on; to prompt
inconnu, *a.* unknown
incontestable, *a.* undeniable; beyond all questions
incorporer, *v.* to incorporate; **être incorporé dans l'armée** to be inducted into military service
incroyable, *a.* incredible, unbelievable
incultivé, *a.* uncultured (mind)
indéterminé, *a.* undetermined, indefinite; irresolute; undecided
indigent, *n.m.* pauper
indigne, *a.* unworthy, undeserving; shameful
indigné, *a.* indignant
indigner, *v.* to rouse (someone) to indignation; to make (someone) indignant
indiquer, *v.* to indicate; to point out
indisposé, *a.* indisposed; ill disposed
individu, *n.m.* individual, person, fellow
infâme, *n.m.* infamous, disreputable (person)
infamie, *n.f.* infamy, dishonor; vile deed
infidèle, *a.* unfaithful; dishonest
infidèle, *n.m.* infidel, unbeliever
infirmier, *n.m.* hospital attendant; male nurse
infirmière, *n.f.* nurse
infliger, *v.* to inflict; to impose
infortune, *n.f.* misfortune, calamity
infortuné, *a.* unfortunate, unlucky
ingénieux, *a.* clever
ingrat, *a.* unprepossessing; ungrateful
initié, *a.* person in the know; initiate
initier, *v.* to initiate
injure, *n.f.* insult; abuse; wrong
injurieux, -euse, *a.* insulting, abusive, injurious
injuste, *a.* unfair
inlassable, *a.* untiring, unwearying; tireless
inoccupé, *a.* idle
inoubliable, *a.* unforgettable
inquiet, *a.* restless; apprehensive, worried; uneasy
inquiétant, *a.* disturbing, disquieting, upsetting
inquiéter, *v.* to trouble, to disturb, to make (someone) uneasy
inquiétude, *n.f.* restlessness, anxiety, concern
inscrire (s'), *v.* to enroll
insensé, *a.* mad, insane; senseless, foolish; extravagant
insister, *v.* to insist; to lay stress on; to persist in
insolite, *a.* unusual
insomnie, *n.f.* sleeplessness, insomnia
inspirer, *v.* to inspire
installer (s'), *v.* to settle
instituteur, *n.m.* schoolmaster
instruction, *n.f.* instruction; education; preliminary investigation; instructions, directions
instruit, *a.* educated, learned; well read
insulter, *v.* to insult, affront
insupportable, *a.* unbearable, intolerable; insufferable
insurgé, *n.m.* insurrectionist, rebel, insurgent
insurmontable, *a.* insuperable, unconquerable, insurmountable
insurpassable, *a.* unexcelled; unsurpassable
intention, *n.f.* purpose; intention; **à l'intention de** in honor of; for the sake of
interdire, *v.* to forbid, prohibit
intéresser (s'), *v.* to become interested; to take interest in
intérêt, *n.m.* interest; advantage, benefit

intérieur, *n.m.* inside, interior
intérieurement, *adv.* inwardly
interminable, *a.* endless; never-ending
interne, *a.* internal; inner; inward
interrogatoire, *n.m.* examination (of defendant)
intervalle, *n.m.* interval; space; period; **dans l'intervalle** in the meantime
intimer, *v.* to intimate; to notify
intransigeant, *a.* uncompromising, strict; intransigent
intrépide, *a.* dauntless, intrepid, bold, fearless
intriguer, *v.* to scheme, plot, intrigue
introduire, *v.* to introduce; insert; to bring in; to usher in
inutile, *a.* useless; vain
inventif, -ive, *a.* inventive
inverse, *a.* opposite; **en sens inverse** in the opposite direction
investir, *v.* to beleaguer, hem in
invincible, *a.* unshakeable
inviter, *v.* to request; to direct; to invite
irriter, *v.* to irritate; **s'irriter** to grow angry
irruption, *n.f.* invasion; **faire irruption** to burst into
issu, *a.* born, descended
issue, *n.f.* end, conclusion
ivoire, *n.m.* ivory
ivre, *a.* drunk, intoxicated
ivrogne, *n.m.* drunkard
ivrognesse, *n.f.* woman given to drink; drunkard

J

jadis, *adv.* formerly, once, of old
jaillir, *v.* to spring; to gush (forth); to flash
jamais, *adv.* ever; never; **à tout jamais** for ever and ever
jambe, *n.f.* leg
janvier, *n.m.* January
jardin, *n.m.* garden
jaune, *a.* yellow
jeter, *v.* to throw, cast
jeu, jeux, *n.m.* play, sport; game; stake; **être en jeu** to be at stake; **mettre tout en jeu** to stake one's all; to leave no stone unturned
jeudi, *n.m.* Thursday
jeunesse, *n.f.* youth; youthfulness
joie, *n.f.* joy; delight; gladness; glee; **joie de vivre** joy of living; **à cœur joie** to one's heart's content
joindre, *v.* to join; to bring together
joli, *a.* pretty; nice
joue, *n.f.* cheek; **mettre quelqu'un en joue** to aim (with a gun) at someone
jouer, *v.* to play; to act (a part on the stage); to come into play, to work; to trick, make a fool of; **se jouer de** to do something with great ease; **faire jouer** to set something in motion, to set going
jouet, *n.m.* toy, plaything
joueur, *n.m.* player
jouir, *v.* to enjoy
jour, *n.m.* day
journée, *n.f.* day
joyeux, -euse, *a.* merry, mirthful
jubiler, *v.* to exult
judiciaire, *a.* judicial; judiciary
juge, *n.m.* judge
jugement, *n.m.* judgment; decision; sentence; discrimination, discernment
juger, *v.* to judge; to think, believe
juillet, *n.m.* July
juin, *n.m.* June
jurer, *v.* to swear; to promise
juridique, *a.* judicial; legal; juridical
juron, *n.m.* swear-word, profane oath
jusque, *prép.* as far as, up to; **jusqu'à** till, until
juste, *a.* just, upright; fair
justement, *adv.* precisely, exactly; just

K

kilogramme, *n.m.* kilogram (2.2 lbs.)
kilomètre, *n.m.* kilometer (0.624 mile)

L

là, *adv.* there; then
là-bas, *adv.* over there
laborieux, -euse, *a.* hard-working
laboureur, *n.m.* farm laborer, farmer
lac, *n.m.* lake
lâche, *a.* cowardly, unmanly

lâche, *n.m.* coward, dastard
lâchement, *adv.* in a cowardly manner
lâcher, *v.* to let out, to drop
lâcheté, *n.f.* cowardice; dastardliness; despicableness
là-dedans, *adv.* in there; within
là-dessus, *adv.* on that; thereupon
laid, *a.* ugly, plain, unsightly
laïque, *a.* lay; **école laïque** undenominational school
laisser, *v.* to let, allow
lait, *n.m.* milk
laitier, *n.m.* milkman
lambeau, *n.m.* rag, shred (of cloth); **en lambeaux** in rags, in tatters
lame, *n.f.* strip (of metal)
lamenter (se), *v.* to lament; to wail
lance, *n.f.* spear
lancer, *v.* to throw, cast, hurl; to start someone or something going
lande, *n.f.* sandy moor; waste
langue, *n.f.* tongue; language
lapin, *n.m.* rabbit
largeur, *n.f.* breadth, width
larme, *n.f.* tear; **fondre en larmes** to burst into tears
las, -sse, *a.* tired, weary; sick and tired
lasser, *v.* to tire, weary; to exhaust (one's patience)
lauréat, *n.m.* prize-winner
laurier, *n.m.* laurel
laver, *v.* to wash
leçon, *n.f.* lesson
lecteur, *n.m.* reader
lecture, *n.f.* reading
légendaire, *a.* legendary; epic
léger, *a.* light; fickle; flighty
léguer, *v.* to leave, bequeath
légume, *n.m.* vegetable
lendemain, *n.m.* next day
lentement, *adv.* slowly
lequel, *pron.* who, which
léthargie, *n.f.* apathy, lethargy
lettre, *n.f.* letter; *pl.* literature; humanities
leur, *a.* their
lever, *n.m.* rising; **lever du rideau** rise of the curtain
lever, *v.* to raise, to lift; **se lever** to get up; to stand up
lèvres, *n.f. pl.* lips
lévrier, *n.m.* greyhound
liaison, *n.f.* relationship; binding
liberté, *n.f.* freedom, liberty
libraire, *n.m.* bookseller
libre, *a.* free; **libre penseur** freethinker
lien, *n.m.* tie, bond
lier, *v.* to bind, fasten, tie
lieu, -x, *n.m.* place; **avoir lieu** to take place; **au lieu de** instead of; **tenir lieu de** to take the place of; **lieux communs** platitudes
lieue, *n.f.* league (4 kilometers)
lièvre, *n.m.* hare
ligne, *n.f.* line
limite, *n.f.* boundary; limit
limousine, *n.f.* old-fashioned automobile, in which the passengers are under a roof, but the driver is in the open
linge, *n.m.* linen, house linen
liquider, *v.* to wind up, to settle
lire, *v.* to read
lit, *n.m.* bed; **cloué au lit** bed-ridden
litige, *n.m.* litigation
liturgie, *n.f.* liturgy
livre, *n.f.* pound
livre, *n.m.* book
livrer, *v.* to deliver, surrender; to give up; **livrer un secret** to betray a secret; **livrer bataille** to give battle; **se livrer à** to indulge in; to devote oneself to
logement, *n.m.* lodging; housing
logis, *n.m.* house, dwelling
loi, *n.f.* law
loin, *adv.* far, afar
lointain, *a.* distant, remote, far-off
loisir, *n.m.* leisure, spare time
long, longue, *a.* long; **à la longue** in the long run
long, *n.m.* length; **le long d'un navire** alongside a ship
longtemps, *adv.* long, a long time
lorsque, *conj.* when, at the time when
louange, *n.f.* praise, commendation
louer, *v.* to praise, laud, commend
loup, *n.m.* wolf
lourd, *a.* heavy
loyal, -aux, *a.* honest, fair; loyal, faithful; true
loyauté, *n.f.* honesty, uprightness; loyalty, fidelity

lucarne, *n.f.* dormer window
lueur, *n.f.* flash, blink of light; gleam, glimmer
lui, *pron.* he, him, her
luire, *v.* to shine, to gleam
lumière, *n.f.* light
lundi, *n.m.* Monday
lune, *n.f.* moon
lunettes, *n.f. pl.* eye-glasses, spectacles
lutte, *n.f.* contest, struggle, tussle; wrestling
lutter, *v.* to struggle, fight
lycée, *n.m.* secondary school

M

machination, *n.f.* plot, machination
maçon, *n.m.* mason
mademoiselle, *n.f.* miss
magasin, *n.m.* shop, store
magistrat, *n.m.* magistrate, judge
magistrature, *n.f.* magistrature; judges; law officers of the state
magnanime, *a.* magnanimous
magnifique, *a.* magnificent
maigre, *a.* thin, skinny, lean
main, *n.f.* hand
maintenant, *adv.* now; **dès maintenant** right now
maintenir, *v.* to keep, hold
maintien, *n.m.* maintenance; bearing, carriage
mairie, *n.f.* city-hall
mais, *conj.* but
maison, *n.f.* house
maître, *n.m.* master; title of lawyers
maîtrise, *n.f.* mastery
majesté, *n.f.* majesty, grandeur
mal, maux, *n.m.* evil; disorder; disease
mal, *adv.* badly, ill; **pas mal de** a fair amount, a good many
malade, *a.* ill, sick, diseased
maladie, *n.f.* sickness, illness, disease
malaise, *n.m.* uneasiness, discomfort, malaise; indisposition
malfaisant, *a.* harmful, obnoxious
malfaiteur, *n.m.* wrong-doer, malefactor
malgré, *prép.* in spite of, notwithstanding
malheur, *n.m.* misfortune, calamity; accident; woe
malheureusement, *adv.* unfortunately
malheureux, -euse, *a.* unfortunate, unhappy; poor; **les malheureux** the poor
malhonnête, *a.* dishonest; impolite
malhonnêteté, *n.f.* dishonesty, dishonest action
malice, *n.f.* spitefulness, malice
malicieux, -euse, *a.* mischievous
malin, -igne, *a.* shrewd, cunning
malle, *n.f.* trunk, box
malveillance, *n.f.* malevolence, ill-will; foul play
manche, *n.f.* sleeve; **être en manches de chemise** to be in shirt-sleeves
Manche (la), *n.f.* the (English) Channel
manège, *n.m.* behaviour, doings
manger, *v.* to eat
manie, *n.f.* mania; craze; idiosyncrasy
maniement, *n.m.* handling; management
manier, *v.* to handle; manage
manière, *n.f.* manner, way of doing
manifeste, *a.* evident, obvious
manifestement, *adv.* evidently
manifester, *v.* to reveal, manifest; to show, exhibit
manque, *n.m.* lack, want; shortage, deficiency
manquer, *v.* to lack, be short of, want; to fail; to miss
manteau, *n.m.* coat, wrap
marbre, *n.m.* marble
marchand, *n.m.* dealer, shopkeeper, merchant; **marchand des quatre-saisons** costermonger
marchandise, *n.f.* goods, wares; merchandise
marche, *n.f.* step, stair; walking; working of machine; **en marche** in motion
marché, *n.m.* market; bargain; **bon marché** cheap; **par-dessus le marché** into the bargain
marcher, *v.* to march; to proceed; to move, travel
mardi, *n.m.* Tuesday
mari, *n.m.* husband
mariage, *n.m.* marriage, wedlock; wedding
marier (se), *v.* to get married; to wed

marotte, *n.f.* hobby, fad
marque, *n.f.* sign, token
marquer, *v.* to mark, to stand out
marqué, *a.* marked
mars, *n.m.* March
marteau, *n.m.* hammer
masquer (se), *v.* to be hidden; to put on a mask
massacre, *n.m.* slaughter, massacre
masse, *n.f.* mass; **en masse** in a body
massif, -ve, *a.* solid
massue, *n.f.* club, bludgeon
matelas, *n.m.* mattress
mater, *v.* to humble; bring down
matériaux, *n.m. pl.* materials
matière, *n.f.* material; subject of discussion; topic
matin, *n.m.* morning
maudire, *v.* to curse
maudit, *a.* cursed
Maure, *n.m.* Moor
mauvais, *a.* evil; bad, wrong
mécanicien, *n.m.* engineer
mécanique, *a.* mechanical
mécanisme, *n.m.* mechanism; machinery
méchanceté, *n.f.* wickedness; spitefulness; ill-nature
méchant, *a.* & *n.m.* unpleasant, disagreeable; wicked, evil
méconnaître, *v.* to fail to recognize; not to appreciate; to disavow
mécontentement, *n.m.* displeasure
mécréant, *a.* & *n.m.* misbeliever
médecin, *n.m.* physician, doctor
médicamenteux, -euse, *a.* medicative, curative
médire, *v.* to spread malicious gossip; to speak ill of
médisance, *n.f.* scandal-mongering; malicious gossip
médisant, *a.* back-biting, scandalmonger
méditer, *v.* to meditate; to ponder
méduser, *v.* to petrify; to paralyze with fear
méfiant, *a.* distrustful, suspicious
méfier (se), *v.* to distrust; to be on one's guard
meilleur, *a.* better; **le meilleur** the best
mélancolie, *n.f.* mournfulness, depression
mêlée, *n.f.* fray, scuffle
mêler, *v.* to mix, mingle, blend; **mêlé à** involved with; **mêlez-vous de ce qui vous regarde** mind your own business
membre, *n.m.* limb; member
même, *a.* same; very; self
même, *adv.* even; **être à même de** to be able to
mémoire, *n.f.* memory
mémoire, *n.m.* written statement
menace, *n.f.* threat, menace; intimidation
menacer, *v.* to threaten, menace
ménager, *a.* thrifty, sparing
ménagère, *n.f.* housewife
mener, *v.* to lead; to drive, to ride; to manage
mensonge, *n.m.* lie, untruth, falsehood
menteur, *n.m.* liar, fibber, story-teller
mentir, *v.* to lie
mépris, *n.m.* contempt, scorn
méprise, *n.f.* mistake
mépriser, *v.* to scorn, to hold in contempt
mer, *n.f.* sea
merci, *adv.* thank you
merci, *n.f.* mercy
mercredi, *n.m.* Wednesday
mère, *n.f.* mother
méridional, *a.* southern
mériter, *v.* to deserve
merle, *n.m.* blackbird
merveille, *n.f.* marvel, wonder; **à merveille** excellently, wonderfully
merveilleusement, *adv.* wonderfully, marvelously
mésaventure, *n.f.* misadventure
messager, *n.m.* messenger; carrier
mesure, *n.f.* measure; **dans une certaine mesure** to a certain extent
métairie, *n.f.* farm
métier, *n.m.* trade, profession, craft
mètre, *n.m.* meter (39.37 inches)
mettre, *v.* to put, lay, place, set; **mettre à la porte** to turn out, to fire; **mettre au point** to put the finishing touch; **mettre dans** to hit (a target); **se mettre** to go, get; se

mettre à + *inf.* to set about (doing something)
meuble, *n.m.* piece of furniture
meurtrier, *n.m.* murderer
midi, *n.m.* noon; **le Midi** the South of France
mien, *pron.* mine
miette, *n.f.* crumb, morsel; **mettre en miettes** to smash to smithereens
mieux, *adv.* better
milieu, *n.m.* middle, midst; surroundings, sphere; **au beau milieu de** right in the middle of
militaire, *a.* military
mille, *a.* thousand
millier, *n.m.* a thousand or so
mince, *a.* thin, slender, slim
mine, *n.f.* appearance, look; **faire grise mine** to look anything but pleased
miner, *v.* to undermine, to sap
minuit, *n.m.* midnight
miraculeux, *a.* miraculous
misérable, *a.* unfortunate, unhappy, miserable
misère, *n.f.* misery; trouble, ill; extreme poverty
miséricorde, *n.f.* mercy, mercifulness
mobiliser, *v.* to call up reservists; to mobilize
modifier, *v.* to alter, change, modify
moelle, *n.f.* marrow (of bone); **moelle épinière** spinal cord
mœurs, *n.f. pl.* morals or manners; customs; mores
moi, *pron.* me; I
moindre, *a.* lesser, least
moine, *n.m.* monk, friar
moins, *adv.* less; **du moins** at least
mois, *n.m.* month
moisson, *n.f.* harvesting; harvest
moitié, *n.f.* half
mollement, *adv.* feebly; indolently
momentané, *a.* momentary; temporary
mon, *a.* my
monarque, *n.m.* monarch
mondain, *a.* wordly; fashionable; mundane
mondaine, *n.f.* society woman
monde, *n.m.* world; society; **tout le monde** everybody, everyone
monnaie, *n.f.* change, small change
monseigneur, *n.m.* his (your) Lordship; his (your) Grace; my Lord
monsieur, *n.m.* mister, sir
mont, *n.m.* mountain
montagnard, *n.m.* highlander, mountaineer
montagne, *n.f.* mountain
monter, *v.* to mount, ascend; to rise; to climb
montre, *n.f.* watch
montrer, *v.* to exhibit, display; to show; **se montrer** to appear
monture, *n.f.* mount
moquer (se), *v.* to make fun of; to joke
moqueur, *a.* mocking, scoffing
morale, *n.f.* morals; ethics
morceau, *n.m.* piece, morsel; lump
mordre, *v.* to bite
moribond, *a.* moribund, at death's door
mort, *a.* dead
mort, *n.f.* death; **mort à . . . !** down with . . . !
mortel, *a.* mortal, deathly
mortellement, *adv.* mortally, fatally; **s'ennuyer mortellement** to be bored to death
mot, *n.m.* word
motif, *n.m.* cause; reason; motive
mou, molle, *a.* soft; lifeless
moucher (se), *v.* to blow one's nose
mouchoir, *n.m.* handkerchief
moue, *n.f.* pout; **faire la moue** to purse one's lips, to pout
mouiller, *v.* to wet, moisten, damp
mourir, *v.* to die
moustique, *n.m.* gnat, mosquito
mouton, *n.m.* lamb
mouvement, *n.m.* motion
moyen, *a.* middle; **le Moyen Âge** the Middle Ages
moyen, *n.m.* means
muet, *a.* dumb; dumbfounded
mulet, *n.m.* mule
municipalité, *n.f.* town-council; city hall
mur, *n.m.* wall; **mur extérieur** enclosing wall
mûr, *a.* ripe, mellow
murmurer, *v.* to murmur; to grumble; to whisper

museau, *n.m.* snout of an animal
mystérieux, -euse, *a.* mysterious; enigmatical

N

nacelle, *n.f.* skiff
nager, *v.* to swim
naguère, *adv.* a short time ago
naïf, -ve, *a.* simple-minded; guileless, unaffected, naïve
naissance, *n.f.* birth
naître, *v.* to be born; to come into the world
naquit *see* **naître**
narrer, *v.* to relate, narrate
natation, *n.f.* swimming
naufrage, *n.m.* shipwreck; **échapper au naufrage** to be saved from the wreck
navet, *n.m.* turnip
naviguer, *v.* to sail, navigate
navire, *n.m.* ship, vessel; boat
ne, *adv.* not
né *see* **naître**
nécessaire, *a.* necessary; requisite
négliger, *v.* to neglect
neige, *n.f.* snow
net, *a.* clear; clean
nettoyer, *v.* to clean
neuf, *a.* nine
neuf, -ve, *a.* new; in new condition
neutre, *a.* neuter
neveu, *n.m.* nephew
névralgique, *a.* neuralgic
nez, *n.m.* nose
ni, *conj.* nor; or; neither
niais, *a.* foolish; simple-minded
nier, *v.* to deny
noble, *a.* & *n.m.* noble, stately, lofty; nobleman
noblesse, *n.f.* nobility; noble birth
noce, *n.f.* wedding
noir, *a.* black
nom, *n.m.* name
nombre, *n.m.* number
nombreux, -se, *a.* numerous
nommer, *v.* to name; to mention
notaire, *n.m.* lawyer specialized in drawing contracts
note, *n.f.* memorandum, note; annotation; touch, stroke
nourri, *a.* nourished, fed
nourrir, *v.* to nourish
nourrissant, *a.* nourishing, nutritive
nouveau, -elle, *a.* fresh; recent; another, a second; new; **de nouveau** again; **à nouveau** anew, afresh
nouveau-né, *n.m.* new-born child
nouvelle, *n.f.* news
noyer, *v.* to drown
nuage, *n.m.* cloud
nuisible, *a.* harmful; noxious, detrimental
nuit, *n.f.* night
nul, *a.* no, not one; worthless
nullement, *adv.* not at all
numéro, *n.m.* number

O

obéir, *v.* to obey
objectif, *n.m.* aim, objective; end
objet, *n.m.* object, aim, purpose
obligation, *n.f.* duty; obligation
obligeant, *a.* obliging; civil
obliger, *v.* to oblige, bind, compel
obscur, *a.* dark, gloomy
obscurité, *n.f.* darkness
observer, *v.* to observe; to comply with
obstination, *n.f.* stubbornness, obstinacy
obstiner (s'), *v.* to persist in
obtenir, *v.* to obtain, get
occasion, *n.f.* opportunity, chance; **à l'occasion** if the occasion presents itself
occasionner, *v.* to cause; to give rise to
occuper (s'), *v.* to keep oneself busy; to go in for
octroyer, *v.* to grant, concede, allow; to bestow
œil (*pl.* **yeux**), *n.m.* eye
œuf, *n.m.* egg
œuvre, *n.f.* work
offenseur, *n.m.* offender
offensé, *a.* & *n.m.* insulted, offended
office, *n.m.* service; **d'office** automatically, without being asked
officiel, *a.* official, formal
officier, *n.m.* officer
offre, *n.f.* offer, proposal
offrir, *v.* to offer
oiseau, *n.m.* bird
oisif, -ive, *a.* idle; lazy

olifant (*vx*), *n.m.* ivory (hunting-) horn
olivier, *n.m.* olive-tree
ombre, *n.f.* shadow, shade
omnibus, *n.m.* bus
on, *pron.* one, people, they, we, etc.
opposer, *v.* to oppose; to compare; to contrast
or, *conj.* now; well now
or, *n.m.* gold
orage, *n.m.* thunder-storm
ordonnance, *n.f.* prescription
ordonner, *v.* to command, direct; to prescribe
ordre, *n.m.* order
ordure, *n.f.* dirt, filth; **boîte à ordures** garbage-can
oreille, *n.f.* ear
orgueil, *n.m.* pride; arrogance
orgueilleux, -euse, *a.* proud; arrogant
orner, *v.* to adorn, embellish, decorate
orphelin, *n.m.* orphan
os, *n.m.* bone
oser, *v.* to dare, venture
ôter, *v.* to take off; to take away; to deprive (someone of something)
ou, *conj.* or
où, *adv.* where
oublier, *v.* to forget
ours, *n.m.* bear
outil, *n.m.* implement; tool
outrage, *n.m.* insult, offense
outre, *prép.* beyond; in addition to; **en outre** besides, moreover
ouvert, *a.* open
ouverture, *n.f.* opening
ouvrage, *n.m.* work; piece of work, product
ouvrier, *n.m.* worker, workman
ouvrière, *n.f.* workwoman, factory-girl
ouvrir, *v.* to open

P

pactiser, *v.* to compromise, to treat with
païen, *a.* & *n.* pagan, heathen
paille, *n.f.* straw
pain, *n.m.* bread
pair, *n.m.* peer
paisible, *a.* peaceful; peaceable, untroubled
paix, *n.f.* peace
palais, *n.m.* palace
palet, *n.m.* metal disc used for playing
paletot, *n.m.* overcoat; coat
palier, *n.m.* landing (on a staircase)
pâlir, *v.* to become pale
palmier, *n.m.* palm-tree
palper, *v.* to feel, to examine by feeling
panier, *n.m.* basket
pansement, *n.m.* dressing (of a wound)
paperasse, *n.f.* official papers; old archives; red tape
papier, *n.m.* paper
papillon, *n.m.* butterfly
paquet, *n.m.* package, parcel, bundle
par, *prép.* by, through, out of, from
parabole, *n.f.* parable
paradis, *n.m.* Heaven
parage, *n.m.* birth, descent; **de haut parage** of high lineage
parages, *n.m. pl.* regions
paraître, *v.* to appear, seem, look; to be visible
parapluie, *n.m.* umbrella
paravent, *n.m.* folding screen
parce que, *conj.* because
parcourir, *v.* to travel through, traverse; examine
pardonner, *v.* to forgive; pardon
pareil, *a.* like, alike
parent, *n.m.* parent; relative
paresseux, -euse, *a.* lazy, idle
parfait, *a.* perfect; faultless
parfaitement, *adv.* completely, thoroughly
parfois, *adv.* sometimes, at times; occasionally
parier, *v.* to bet, wager
parler, *v.* to speak, talk
parmi, *prép.* among(st), amid(st)
paroi, *n.f.* wall (of rocks)
paroissien, *n.m.* parishioner
parole, *n.f.* word, utterance, remark; promise
parsemer, *v.* to strew, sprinkle
part, *n.f.* share, portion, part; place; **prendre part** to join in, to share in; **faire part** to inform; **quelque part** somewhere

partager, *v.* to share
parti, *n.m.* party; advantage, profit; **prendre le parti (de quelqu'un)** to take (someone's) side; **tirer parti de** to make use of, to turn to account
participer, *v.* to participate; have a share, an interest
particulier, *a.* particular, special; individual; private
partie, *n.f.* part; **je ne fais pas partie de ce cercle** I am not a member of this club; I don't belong to this club
partir, *v.* to leave; **à partir d'aujourd'hui** from this day forward
partout, *adv.* everywhere, on all sides
parvenir, *v.* to arrive at; to reach; **parvenir à** + *inf.* to manage to do (something)
pas, *adv.* not; **pas du tout** not at all, by no means
pas, *n.m.* step, pace
passage, *n.m.* passage; **oiseau de passage** migratory bird
passager, *n.m.* passenger
passant, *n.m.* passer-by
passer, *v.* to pass, to go past; to cross, to go over; **passer son chemin** to go one's way
passer (se), *v. imp.* to happen; to take place
passe-temps, *n.m.* pastime, diversion
passion, *n.f.* love
passionné, *a.* ardent, impassioned
pastille, *n.f.* lozenge; pastille, pellet
pâte, *n.f.* salve, ointment, beauty-cream
paternel, *a.* paternal; fatherly; kindly
patiemment, *adv.* patiently
patrie, *n.f.* fatherland; mother country
patron, *n.m.* master, employer; chief, owner
patte, *n.f.* paw, leg (of animal)
pauvre, *a.* poor
pauvreté, *n.f.* poverty, want
pavé, *n.m.* paving stone; pavement
payer, *v.* to pay
pays, *n.m.* country, land; **les Pays-Bas** Netherlands
paysage, *n.m.* landscape, scenery
paysan, *n.m.* peasant, farmer
peau, *n.f.* skin; pelt; peel; coating
péché, *n.m.* sin
pécher, *v.* to sin
pêcher, *v.* to fish (for)
pécheur, *n.m.* sinner
pédantesque, *a.* pedantic
peindre, *v.* to paint; to portray, represent
peine, *n.f.* punishment, penalty; sorrow, affliction; concern; difficulty; **à peine** hardly, barely
peintre, *n.m.* painter
peinture, *n.f.* painting, picture
pelouse, *n.f.* lawn
penchant, *n.m.* inclination; tendency; leaning towards
pencher, *v.* to incline; to lean
pendant, *prép.* during; **pendant que** while
pendre, *v.* to hang
pénétrer, *v.* to enter; **se pénétrer** to become imbued, pervaded
pénible, *a.* laborious, hard; painful, distressing
péniblement, *adv.* painfully; with difficulty
pensée, *n.f.* thought
penser, *v.* to think
pente, *n.f.* slope, incline
pénurie, *n.f.* scarcity, lack; shortage (of money); poverty
percé, *a.* pierced; holed; torn
percepteur, *n.m.* tax-collector
percuter, *v.* to strike, tap lightly; to sound
perdre, *v.* to lose; to ruin
père, *n.m.* father; **le père Crainquebille** old man Crainquebille
perfectionner, *v.* to perfect; to improve
perfide, *a.* treacherous
périlleux, -se, *a.* perilous, hazardous
péripéties, *n.f. pl.* vicissitudes; ups and downs; mishaps
périr, *v.* to perish; to be destroyed
permettre, *v.* to permit, allow; **se permettre** to take the liberty
perplexe, *a.* puzzled, perplexed
perron, *n.m.* flight of steps (before a building)
personnage, *n.m.* character (in a novel, play); person of distinction
personne, *n.f.* person, individual
personne, *pron.* anyone, anybody; no one

personnel, *n.m.* staff, personnel
perspicace, *a.* shrewd; perspicacious
persuadé, *a.* convinced; sure
perte, *n.f.* loss; ruin; destruction
pesanteur, *n.f.* dullness, sluggishness; gravity
peser, *v.* to weigh; to be heavy
peste, *n.f.* plague, pestilence
pestiféré, *a.* & *n.m.* plague-stricken
petit, *a.* small, little; **petit à petit** little by little
pétrifié, *a.* petrified; paralyzed (with fear)
pétrole, *n.m.* petroleum; mineral oil
peu, *adv.* little
peu, *n.m.* little, bit; **sous peu** before long; **depuis peu** lately
peuple, *n.m.* people; nation; the masses; **les gens du peuple** the common people, the lower classes
peupler, *v.* to populate; **rues peuplées de monde** streets crowded with people
peur, *n.f.* fear, fright, dread; **de peur de** lest
peut-être, *adv.* perhaps, maybe, possibly; **peut-être bien** very possibly
pharmaceutique, *a.* pharmaceutical
pharmacie, *n.f.* pharmacy, drugstore
pharmacien, *n.m.* druggist; pharmacist
philosophique, *a.* philosophical
phrase, *n.f.* sentence; phrase
physionomie, *n.f.* face, countenance; aspect
physique, *a.* physical
pièce, *n.f.* piece; **pièce de théâtre** play
pied, *n.m.* foot
piège, *n.m.* trap, snare
pierre, *n.f.* stone
piété, *n.f.* devotion, piety
piètre, *a.* wretched, poor; paltry
pieux, -se, *a.* pious, reverent
piloter, *v.* to fly (an airplane), to pilot (an airplane)
pilule, *n.f.* pill
pin, *n.m.* pine-tree
pincer, *v.* to pinch; nab
piquer, *v.* to sting; to puncture
pire, *a.* worse, worst
piscine, *n.f.* swimming-pool
pistolet, *n.m.* pistol; gun
piteux, -se, *a.* pitiable, woeful
pitié, *n.f.* compassion, pity
pitoyable, *a.* pitiful; wretched, pitiable
placarder, *v.* to stick (a bill) on a wall; to post
place, *n.f.* place, position
placer, *v.* to place, put, set
plafond, *n.m.* ceiling
plaider, *v.* to plead
plaidoirie, *n.f.* counsel's speech
plaindre, *v.* to pity; **se plaindre** to complain
plaine, *n.f.* plain, flat country
plainte, *n.f.* moan, groan; complaint; **porter plainte** to lodge a complaint
plaire, *v.* to please; **à Dieu ne plaise** God forbid
plaisant, *a.* amusing, funny; droll
plaisanterie, *n.f.* joke, jest
plaisir, *n.m.* pleasure; delight, amusement
plan, *n.m.* plan, drawing
planche, *n.f.* board, plank
plancher, *n.m.* floor
planter, *v.* to plant
plat, *a.* flat, level; **à plat** flat; **à plat ventre** flat on one's face; prone
platitude, *n.f.* dullness; commonplace remark
plein, *a.* full; filled, replete
pleur, *n.m.* tear; **verser des pleurs** to shed tears
pleurer, *v.* to weep, cry; mourn
pleuvoir, *v. imp.* to rain; **faire pleuvoir sur (quelqu'un)** to shower (someone) with
plier, *v.* to bend; fold; to submit, yield
plonger, *v.* to dive
pluie, *n.f.* rain
plume, *n.f.* writing-pen
plupart (la), *n.f.* most; the greatest part; the majority
plus, *adv.* more; **non plus** neither
plusieurs, *a.* & *pron.* several
plutôt, *adv.* rather; sooner
poche, *n.f.* pocket
poète, *n.m.* poet
poids, *n.m.* weight
poignée, *n.f.* handful; **poignée de main** handshake
poil, *n.m.* fur (of animal); hair
poing, *n.m.* fist, hand

point, *adv.* no, not at all

point, *n.m.* point; **au point de** to the extent of; **être sur le point de** to be about to; **mettre au point** to adjust

pointe, *n.f.* point, tip; head of arrow

pointu, *a.* sharp-pointed

poireau, *n.m.* leek

poisson, *n.m.* fish

poitrine, *n.f.* chest

poli, *a.* polite, civil

politesse, *n.f.* politeness, good manners, good breeding

politique, *a.* political

pomme, *n.f.* apple

pompeux, -se, *a.* pompous; high-sounding

pont, *n.m.* bridge

port, *n.m.* harbor, port; **à bon port** safely

portant, *a.* bearing; **être bien portant** to be in good health

porte, *n.f.* gateway, entrance; door; **mettre à la porte** to throw out, to fire

porter, *v.* to carry; to bear; to induce, incline

poser, *v.* to pose; to rest, to place, put, set, lay; **poser une question** to ask a question; **se poser** to land

posséder, *v.* to possess, own; to be in possession of

poste, *n.m.* place, position

postillon, *n.m.* postilion

pot, *n.m.* pot, jug, can, jar

poteau, *n.m.* post, pole, stake

poule, *n.f.* hen

poulpe, *n.m.* octopus

poumon, *n.m.* lung; **crier à pleins poumons** to shout at the top of one's voice

pour, *prép.* for, in order to

pourquoi, *adv.* why? what for?

poursuite, *n.f.* chase, pursuit; **se mettre à la poursuite de** to chase after (someone)

poursuivre, *v.* to pursue; to go after; to prosecute

pourtant, *adv.* nevertheless, however, still

pousser, *v.* to push, shove, thrust; to incite

poussière, *n.f.* dust; **mordre la poussière** to bite or lick the dust, to be defeated

pouvoir, *n.m.* power, force, means

pouvoir, *v.* to be able, can; to be allowed, may

pratique, *n.f.* practice; experience

pratiquer, *v.* to practice; to use

pré, *n.m.* meadow

précaire, *a.* precarious; delicate

précepteur, *n.m.* private tutor

prêcher, *v.* to preach

précieux, *a.* precious; affected

précipitamment, *adv.* headlong; hurriedly

précipiter, *v.* to throw down; to hurry, hasten; **se précipiter** to rush headlong, to rush upon

précis, *a.* precise, exact, accurate

précisément, *adv.* exactly, precisely

prédicateur, *n.m.* preacher

préfecture, *n.f.* prefecture; **préfecture de police** Paris police headquarters

préféré, *a.* favorite

préférer, *v.* to prefer, like better

préfet, *n.m.* prefect

premier, *a.* first; **le premier en date** the earliest

prendre, *v.* to take; to seize, catch; **s'en prendre à quelqu'un** to cast the blame upon someone

préoccuper (se), *v.* to attend to, to be concerned with, to give one's attention to

préparer, *v.* to prepare; to get ready, to make ready

près, *adv.* & *prép.* near; **à peu près** nearly, about, approximately; **près de** close to, near

présenter (se), *v.* to turn up

préserver, *v.* to protect, preserve

présomptueux, -se, *a.* presumptuous, overweening

presque, *adv.* almost, nearly

presse, *n.f.* press, newspapers

pressé, *a.* urgent; crowded; in a hurry

presser, *v.* to press, to urge; **se presser** to hurry

prestance, *n.f.* martial bearing, fine presence

prestigieux, -se, *a.* marvellous, amazing

prêt, *a.* ready, prepared

prétendre, *v.* to claim; to require; to affirm
prétendu, *a.* alleged, would-be
prétentieux, -se, *a.* conceited, showy, pompous
prétention, *n.f.* pretension, claim
prêter, *v.* to lend; **prêter l'oreille à** to give ear to
prêtre, *n.m.* priest
preuve, *n.f.* proof, evidence
preux, *n.m.* valiant knight
prévaloir, *v.* to prevail
prévenir, *v.* to inform; to forestall, anticipate
prévoir, *v.* to foresee; provide for
prier, *v.* to pray; to ask, beg, request
prière, *n.f.* prayer
prime, *a.* first; **dans ma prime jeunesse** in my earliest youth
principalement, *adv.* mainly
principe, *n.m.* principle
printemps, *n.m.* spring, springtime
priorité, *n.f.* priority
prise, *n.f.* grip, hold; **être aux prises avec** to be at grips with
priver, *v.* to deprive
privilégié, *a.* privileged, preferred
prix, *n.m.* value, worth; price; prize; **à tout prix** at all costs, at any price
probablement, *adv.* probably
procédure, *n.f.* proceedings
procès, *n.m.* lawsuit, trial
procès-verbal, *n.m.* police officer's report; **dresser procès-verbal** to draw up a report
prochain, *a.* nearest, next
prochain, *n.m.* neighbor (*bibl.*)
proche, *a.* near
prodige, *n.m.* prodigy, wonder, marvel
prodigue, *a.* lavish, prodigal, spendthrift; **l'enfant prodigue** the Prodigal Son
produire, *v.* to produce; yield; **se produire** to occur, happen, arise; to take place
produit, *n.m.* product
professer, *v.* to profess; to practice (a profession)
professeur, *n.m.* teacher, professor, master
profession, *n.f.* occupation, calling, trade
profil, *n.m.* profile; outline, section
profit, *n.m.* profit, benefit; **faire son profit** to profit by (something); **tirer profit de** to reap advantage from
profiteur, *n.m.* profiteer
profondément, *adv.* deeply
profusion, *n.f.* abundance, profusion
progresser, *v.* to progress, advance, make headway
proie, *n.f.* prey
projet, *n.m.* plan, scheme, project
projeter, *v.* to plan, contemplate; to project
promener, *v.* to take for a walk; **promener les yeux sur** to cast one's eyes over (something)
promeneur, *n.m.* walker, pedestrian
promesse, *n.f.* assurance, promise
promettre, *v.* to promise
prompt, *a.* hasty; prompt, ready
prononcer, *v.* to pronounce
propager, *v.* to spread about, propagate
propos, *n.m.* subject matter; remark, utterance; **à tout propos** at every turn; **à ce propos** talking of this; in this connection
proposer, *v.* to propound; to suggest
proposition, *n.f.* proposal; motion
propre, *a.* own; appropriate, fitting
propre, *n.m.* characteristic, distinctive feature
propriétaire, *n.m.* owner; landowner
propriété, *n.f.* estate; ownership
prospectus, *n.m.* handbill, prospectus
prosterner (se), *v.* to bow down; to kowtow
protéger, *v.* to protect; to shelter, shield
protestation, *n.f.* asseveration, protest
prouver, *v.* to prove
provençal, *a.* Provençal; of Provence, in southeastern France
provoquer, *v.* to incite to; to induce; to challenge to a duel
prudence, *n.f.* discretion, carefulness, prudence
public, *n.m.* public, audience; **en public** in public, publicly
publier, *v.* to publish; to bring out
puis, *adv.* then, afterwards; besides, moreover

puiser, *v.* to draw; **puiser à la source** to go to the source
puisque, *conj.* since, as, seeing that
puissance, *n.f.* power
puissant, *a.* powerful, mighty, strong
punir, *v.* to punish; to castigate
punition, *n.f.* punishment, punishing
pupitre, *n.m.* desk
purement, *adv.* purely, clearly
Pyrénées (les), *n.f.pl.* Pyrenees

Q

quadragénaire, *n.m.* & *f.* a person in the forties
quadrimoteur, *n.m.* four-engined aircraft
quai, *n.m.* quay, warf, pier
qualité, *n.f.* qualification, capacity; profession, quality; occupation; title, rank
quand, *conj.* when
quant à, *loc. prép.* as to, as for, with respect to
quarantaine, *n.f.* about forty, forty or so
quart, *n.m.* quarter, fourth part
quartier, *n.m.* neighborhood, district
quatrième, *a.* fourth
que, *conj.* that; **ne . . . que** only
que, *pron.* that, whom, which; what . . . ?
quel, *a.* & *pron.* what, which
quelconque, *a.* any, whatever
quelque, *a.* some, any; **quelque** + *adj.* + **que** however
quelque chose, *pron.* something, anything
quelquefois, *adv.* sometimes; now and then
querelle, *n.f.* dispute, quarrel
quereller (se), *v.* to wrangle, quarrel
question, *n.f.* question; **c'est une question de temps** it is a matter of time
queue, *n.f.* tail; **faire la queue** to stand in line
qui, *pron.* who, that; which
quiconque, *pron.* whosoever; anyone who
quinze, *a.* fifteen; **quinze jours** two weeks
quitte, *a.* free, rid of
quitter, *v.* to leave, quit
quoi, *pron.* what
quoique, *conj.* although, though
quotidien, *a.* & *n.m.* everyday, daily; daily (newspaper)
quotidiennement, *adv.* daily

R

rabattre, *v.* to bring down; to reduce, lessen
racontar, *n.m.* gossip
raconter, *v.* to tell, relate, narrate
radieux, -se, *a.* dazzling, radiant; beaming
raffinement, *n.m.* affectedness; refinement
rage, *n.f.* fury, frenzy; violent anger; **faire rage** to rage, to break loose (tempest)
raid, *n.m.* long-distance flight
raide, *a.* stiff, tight
railler, *v.* to mock, to laugh at
railleur, -euse, *a.* mocking
raison, *n.f.* reason; justification; motive; **avoir raison de** to get the better of; **avoir raison** to be right
raisonner, *v.* to argue; to justify with reasons; **raisonner ses actions** to study, to consider one's actions
ralenti, *n.m.* slow motion
ramasser, *v.* to gather together; to collect; to pick up
rameau, *n.m.* small branch; bough
ramener, *v.* to bring back
rancune, *n.f.* spite, grudge
rang, *n.m.* row, line; round; rank; station in life
ranger, *v.* to line up; **se ranger à l'opinion de quelqu'un** to fall in with someone's opinion
rapidement, *adv.* switfly, fast, rapidly
rappeler, *v.* to call back; to recall; **se rappeler** to remember, recollect
rapport, *n.m.* relation; report; profit
rapporter, *v.* to bring back; to bring in, produce
rapprocher, *v.* to bring near again; to bring together
rasoir, *n.m.* razor
rassembler, *v.* to assemble; to collect
rassurer, *v.* to reassure, hearten

ravage, *n.m.* devastation, ravages; **face ravagée** face on which life has left its mark
ravir, *v.* to carry off; to steal; to enrapture
raviser (se), *v.* to change one's mind
rayer, *v.* to strike out; remove
rayon, *n.m.* ray; beam
réaliser, *v.* to effect, carry out; to work out
réalité, *n.f.* reality
rebelle, *n.m.* rebel
rebuffade, *n.f.* snub; rebuff
récemment, *adv.* recently, lately
recevoir, *v.* to receive, get; to welcome
réchapper, *v.* to escape; to recover from; to be saved
recherche, *n.f.* quest, search, pursuit
réciproque, *a.* mutual
récit, *n.m.* narration, narrative
réciter, *v.* to recite; to say
réclamer, *v.* to claim; to call for; to protest
récolte, *n.f.* harvest
recommencer, *v.* to begin, start again
récompenser, *v.* to reward, recompense
reconduire, *v.* to escort home; to take back
réconfortant, *a.* stimulating; cheering; strengthening
reconnaissance, *n.f.* recognition; reconnoitering; gratitude; **reconnaissance de dettes** I.O.U.
reconnaître, *v.* to recognize; to acknowledge
reconquérir, *v.* to regain, recover
recours, *n.m.* resort, recourse; **avoir recours à** to have recourse to; to resort to (something)
recueil, *n.m.* collection
recueillir, *v.* to collect, gather
recul, *n.m.* recession, retirement, backward movement
reculé, *a.* remote, distant
reculer, *v.* to move back
rédacteur, *n.m.* editor, writer; **rédacteur en chef** newspaper editor
redevable, *a.* (**être**) to be indebted, to owe to (someone)
rédiger, *v.* to write
redire, *v.* to tell again; to find fault with
redoubler, *v.* to increase, to redouble
redoutable, *a.* dangerous; formidable
redouter, *v.* to dread, fear; to hold in awe
redresser (se), *v.* to sit up again; to rise up again
réduire, *v.* to reduce; to cut down; **à la misère, au désespoir** to drive to poverty, to despair
réellement, *adv.* really, actually
réfléchir, *v.* to reflect; to ponder
réflecteur, *n.m.* reflector; reflecting mirror
réflexion, *n.f.* reflection, thought
refouler, *v.* to drive back, force back
refus, *n.m.* refusal
refuser, *v.* to refuse, decline; to reject
regagner, *v.* to get back; to reach again
regard, *n.m.* look, glance, gaze; **détourner le regard** to look away
regarder, *v.* to consider; to look at
règle, *n.f.* rule
règlement, *n.m.* regulation(s), statute, by-law
régler, *v.* to regulate; to settle; to rule
règne, *n.m.* reign
régner, *v.* to rule; to prevail
regrettable, *a.* unfortunate, regrettable
regretter, *v.* to regret
régulier, *a.* regular
rein, *n.m.* kidney
réintégrer, *v.* to reinstate; to restore; to return
rejeter, *v.* to throw; to return (ball); to reject
rejoindre, *v.* to reunite; to join again
réjouir, *v.* to delight, gladden
relais, *n.m.* relay station, posting-house
relater, *v.* to relate; to state; to narrate
relatif, *a.* connected to; relative
relation, *n.f.* relation, dealings, intercourse
relever (se), *v.* to rise to one's feet; to get up from one's knees
remanier, *v.* to alter, adapt
remarquer, *v.* to notice, remark, observe
remède, *n.m.* remedy; cure
remercier, *v.* to thank; dismiss, discharge
remettre, *v.* to put, set back again; to

postpone; **se remettre de** to recover from, get over (an illness); **s'en remettre à** to rely on; to leave it to
remise, *n.f.* coach-house; **voiture de remise** hired carriage
remonter, *v.* to go up again, to climb up again; to date back
remontrance, *n.f.* remonstrance; protest
remontrer, *v.* to remonstrate, protest, point out
remplaçant, *n.m.* substitute
remplacer, *v.* to take, fill the place of; to replace
remplir, *v.* to fill; to fulfil
remuer, *v.* to move; shift; stir
renard, *n.m.* fox
rencontre, *n.f.* encounter, meeting; occasion
rencontrer, *v.* to meet, to fall in with
rendre, *v.* to give back, return; to deliver; to make; **rendre quelqu'un ridicule** to make someone ridiculous; **se rendre** to proceed (to a place); to surrender; **rendre l'âme** to breathe one's last
renom, *n.m.* renown, fame
renoncer, *v.* to give up, forgo; to renounce
renseignement, *n.m.* information
rentrer, *v.* to re-enter, to come in again; to return home
renverse, *n.f.* (**tomber à la**) to fall backwards
renvoyer, *v.* to send back; to return
répandre, *v.* to spread, diffuse, scatter
reparaître, *v.* to reappear; turn up again
réparer, *v.* to repair, mend; to atone, make good
repartir, *v.* to retort, reply; to start off again
repas, *n.m.* meal
repasser, *v.* to go over, to look over (a lesson)
repentir (se), *v.* to repent; to be sorry for
repentir, *n.m.* repentance
répéter, *v.* to repeat
répit, *n.m.* respite
répliquer, *v.* to retort; to answer back
replonger, *v.* to plunge, dip, immerse again
répondre, *v.* to answer, reply, respond
réponse, *n.f.* answer, reply
reportage, *n.m.* report; news commentary
repos, *n.m.* rest; peace
reposer, *v.* to lie, rest; **se reposer** to rely upon
repousser, *v.* to push back, drive off; to repel
reprendre, *v.* to take again; to reply; to resume
représentant, *n.m.* agent
représenter, *v.* to represent; to perform, act
réprimander, *v.* to reprove, reprimand
reprise, *n.f.* time, occasion
réprobation, *n.f.* disapproval
reprocher, *v.* to reproach
reproduire (se), *v.* to recur, to happen again
réprouver, *v.* to disapprove of
répugnance, *n.f.* aversion; loathing; repugnance
requérir, *v.* to demand; to ask for
réserver, *v.* to set apart; to reserve
résigner, *v.* to resign; to give up; **se résigner** to submit
résister, *v.* to resist, to hold out against
résonner, *v.* to resound; to reverberate
résoudre, *v.* to resolve, clear up; to solve
respirer, *v.* to breathe; to inhale
ressembler, *v.* to be like, to look like; to resemble
ressentir, *v.* to feel (pain, emotion); to resent
reste, *n.m.* rest, remainder; **du reste** besides, moreover
rester, *v.* to remain, to stay; to be left, remain behind
résultat, *n.m.* result, outcome
résulter, *v.* to follow, arise; to result
résumer, *v.* to summarize; to sum up
rétablir, *v.* to restore; to re-establish
retardataire, *a.* late, behind time; backward
retenir, *v.* to hold back; to keep back; to retain
retentir, *v.* to sound, ring, resound

retentissant, *a.* loud, sonorous; that causes considerable stir
retenue, *n.f.* reserve, restraint
retirer, *v.* to pull out; to take back; **se retirer** to retire, withdraw
retomber, *v.* to fall again, to fall back; to hang down
retour, *n.m.* return, going back, coming back
retourner, *v.* to return, go back; **s'en retourner** to go back
retracer, *v.* to recall; to trace again
retraite, *n.f.* withdrawal; retirement; **battre en retraite** to beat a retreat; to march away from the enemies
retrouver, *v.* to find again; to meet again; **se retrouver** to find oneself
réunir (se), *v.* to meet
réussir, *v.* to succeed
rêvasser, *v.* to dream; to muse; to day-dream
rêve, *n.m.* dream; **faire un rêve** to have a dream
réveil, *n.m.* awakening
réveiller, *v.* to awake; to rouse
révéler, *v.* to reveal, disclose; to show; to betray
revendication, *n.f.* claim, demand
revenir, *v.* to return; to come back; to get over; **Je n'en reviens pas!** I can't get over it!
revenu, *n.m.* income; revenue; yield
rêver, *v.* to dream
revers, *n.m.* set-back; reverse
révision, *n.f.* review
revivre, *v.* to live again; to relive
revoir, *v.* to see again; to revise
revue, *n.f.* review, magazine
révoltant, *a.* sickening, shocking; outrageous
révolte, *n.f.* rebellion, mutiny; revolt
révolter (se), *v.* to rebel (**contre** against)
révolu, *a.* completed
révolutionnaire, *a.* revolutionary
révolutionnaire, *n.m.* revolutionist
rez-de-chaussée, *n.m. inv.* ground floor, street level, first floor
rhumatisant, *a.* rheumatic
riant, *a.* smiling; cheerful, agreeable
riche, *a.* wealthy, rich; valuable
richesse, *n.f.* wealth; riches
rideau, *n.m.* curtain
ridicule, *a.* ridiculous, laughable
ridicule, *n.m.* ridicule; **tourner (quelqu'un) en ridicule** to ridicule (someone)
rien, *pron.* nothing, not anything; anything
rieur, *n.m.* laugher; **avoir les rieurs de son côté** to have the laugh on one's side
rigueur, *n.f.* harshness, severity; rigor
rire, *v.* to laugh
ris (*vx*), *n.m.* laughter
risquer, *v.* to venture, chance, risk; **risquer de** to be liable to
rive, *n.f.* bank (of river), shore; edge
rivière, *n.f.* (tributary) river
robe, *n.f.* dress; gown (of lawyer)
robuste, *a.* strongly built; robust; sturdy
rocher, *n.m.* rock
roi, *n.m.* king
rôle, *n.m.* part, role
roman, *n.m.* novel
romance, *n.f.* sentimental song, ballad; epic chronicle of heroic exploits
romancier, *n.m.* novelist
romanesque, *a.* romantic
romantisme, *n.m.* Romanticism
rond, *a.* round
ronger, *v.* to nibble; to corrode; **être rongé de chagrin** to be tormented with grief
rongeur, *n.m.* rodent
rossignol, *n.m.* nightingale
roue, *n.f.* wheel
rouer, *v.* **quelqu'un de coups** to beat someone unmercifully
rouge, *a.* red
rougeaud, *a.* red-faced
rougir, *v.* to blush; to redden
rouler, *v.* to roll; to drive
route, *n.f.* road, way
royaume, *n.m.* kingdom, realm
rubis, *n.m.* ruby
rude, *a.* hard, severe; arduous; tough
rue, *n.f.* street
ruelle, *n.f.* side-street; alley
rugir, *v.* to roar
rugissement, *n.m.* roaring; roar
ruiner, *v.* to ruin, destroy